Instituto Atlântico

GALO CANTOU!

A conquista da propriedade pelos moradores do Cantagalo

Paulo Rabello de Castro
&
colaboradores

EDITORA RECORD
RIO DE JANEIRO • SÃO PAULO

Rio de Janeiro
2011

Copyright © Instituto Atlântico, 2011

Projeto gráfico de capa e encarte
Gabinete de Artes

Projeto gráfico e diagramação de miolo
Editoriarte

Imagens de capa

Foto de Paulo Rabello de Castro:
Divulgação (Instituto Atlântico)

Foto de Aspásia Camargo:
Divulgação (gabinete da deputada, ALERJ)

CIP-BRASIL. CATALOGAÇÃO NA FONTE
SINDICATO NACIONAL DOS EDITORES DE LIVROS, RJ.

C353g

Castro, Paulo Rabello de
    Galo cantou! : a conquista da propriedade pelos moradores do Cantagalo /
Paulo Rabello de Castro & colaboradores. - Rio de Janeiro : Record, 2011.

"Instituto Atlântico"
ISBN 978-85-01-09841-2

1. Cantagalo (Rio de Janeiro, RJ) – História. 2. Favelas – Rio de Janeiro (RJ). I. Título.

11-7725.   CDD: 307.3098153
                    CDU: 316.334.56(815.3)

Todos os direitos reservados. Proibida a reprodução, armazenamento
ou transmissão de partes deste livro, através de quaisquer meios,
sem prévia autorização por escrito.

EDITORA AFILIADA

Este livro foi revisado segundo o novo Acordo Ortográfico da Língua Portuguesa

Direitos desta edição adquiridos pela
EDITORA RECORD
Rua Argentina 171 – 20921-380 – Rio de Janeiro, RJ – Tel.: 2585-2000

Seja um leitor preferencial Record.
Cadastre-se e receba informações sobre nossos lançamentos e nossas promoções.

Atendimento e venda direta ao leitor:
mdireto@record.com.br ou (21) 2585-2002.

Impresso no Brasil
2011

Em memória
de Steve Jobs,
por mostrar que inovação
não se faz sem paixão.

A Hernando de Soto,
por ensinar
que é possível medi-las.

Instituto Atlântico

O **Instituto Atlântico, fundado em 1991 com o nome de** "Projeto Atlântico", surgiu da iniciativa de brasileiros, sem vínculo partidário ou ideológico, interessados em oferecer à sociedade respostas inovadoras a problemas complexos e persistentes.

Naquele momento, nos anos 1990, a questão crucial era combater a inflação alta. O Projeto Atlântico lançou o PEC, "Programa de Estabilização com Crescimento", que influenciou o lançamento do Plano Real e, em seguida, os programas de inclusão social de Lula.

Agora, o Instituto Atlântico comemora seus 20 anos com a conclusão do Projeto Cantagalo, mostrando que é possível criar riqueza social nova com a titulação plena das propriedades em comunidades populares.

O Instituto também ajuda a coordenar o MBE, "Movimento Brasil Eficiente", objetivando a simplificação fiscal no país.

A edição deste livro contou com apoio de

agradecimentos

A página mais injusta de um livro é sempre a dos agrade-cimentos, em virtude das omissões imperdoáveis que fatalmente acontecem. Esse é também o caso neste livro, com um agravante. Por se tratar da narrativa de um projeto coletivo, centenas de pessoas nele estiveram envolvidas diretamente, para não falar dos próprios moradores do Cantagalo, a quem homenageamos de pronto, nas primeiras linhas deste breve registro.

Há muito mais gente que torceu por ele ou fez algo para construir e divulgar a ideia central da titulação da propriedade, como os participantes do Projeto de Segurança de Ipanema (tendo à frente Ignez Barretto e Ana Luiza Archer) e muitos moradores do bairro, fazendo parte ou não da associação local. E, dentro da comunidade, vários registros são indispensáveis, como o dos coordenadores do Projeto Criança Esperança e, mais recentemente, da Unidade de Polícia Pacificadora (UPP).

O Projeto Cantagalo contou também com o suporte financeiro fundamental do Instituto Gerdau — por Jorge Gerdau Johannpeter e José Paulo Martins — e dos diretores e mantenedores do Instituto Atlântico, na etapa complementar. Teve ainda, como parceiros decisivos, todos *pro bono*, a assessoria jurídica do escritório Souza, Cescon, Barrieu & Flesch Advogados — e, aqui, agradecimentos penhorados a

Maurício Santos, advogado brilhante e entusiasta do projeto desde o primeiro minuto, e a seus sócios Luis Souza e Maria Cristina Cescon, que não mediram o tamanho do apoio dispensado, em recursos humanos e materiais, à empreitada, do mesmo modo que aos advogados Carlos Braga e Tiago Lopes, do contencioso. No mesmo nível de empenho, também devemos enorme gratidão ao escritório Gorayeb & Mitchell Advogados e à assessoria econômica da RC Consultores, lá lembrando o apoio de Valter Almeida, Sheila Gaul e Fábio Silveira, além de Marcel Pereira e de Júlio Presto.

Há outras valiosas colaborações a registrar aqui: da escola Solar Meninos de Luz, dirigida pelo coração imenso de sua fundadora, Yolanda Maltarolli, e seus filhos, lembrando também o time de professores e pesquisadores da Escola de Direito do Rio de Janeiro da Fundação Getúlio Vargas, do escritório de Flávio Ferreira, Arquitetura e Urbanismo, do *designer* e artista plástico Antônio Breves e de seu filho Pedro, de diversos profissionais da Rede Globo de Televisão, especialmente do *Jornal Nacional* (William Bonner) e do programa *Cidades e Soluções* (André Trigueiro), do escritório de multimídia OEstudio, da Ordem dos Advogados do Brasil — seção Rio de Janeiro, da Fecomercio SP, especialmente de todos os membros do Conselho de Cidades daquela federação, bem dirigido por Josef Barat. O mesmo em relação ao Instituto Nacional de Altos Estudos (Inae), no *Fórum Nacional* do ministro João Paulo dos Reis Velloso, que nos convidou para lá expor nossas ideias. Esse grande grupo de líderes comunitários e profissionais especializados trabalhou sem qualquer remuneração financeira para o êxito da iniciativa. Seria impossível citar cada colaborador ou apoiador individualmente.

Não menos relevante foi o apoio do Instituto Millenium, através de Paulo Uebel e Luiz Eduardo Vasconcellos, entre outros diretores, bem como o providencial suporte obtido dos irmãos Salim e Eugênio Mattar, da empresa Localiza, que sempre souberam temperar uma alta competência empresarial com profundo senso de ativismo social. É fundamental lembrar o apoio dos oficiais do 5º Cartório do Registro Geral de Imóveis do Rio de Janeiro e da Associação Nacional dos Cartórios Registradores.

Além disso, o Projeto Cantagalo contou com escritórios contratados, como o Instituto Brasileiro de Pesquisas Sociais (IBPS), dirigido por Geraldo Tadeu Monteiro, que realizou o recenseamento da comunidade com a ajuda desta, e o competente escritório de arquitetura de Márcio Roberto, que dirigiu pessoalmente o levantamento topográfico completo, casa por casa, em um ambiente às vezes hostil, com gangues armadas até os dentes, embora jamais antagônicas ao projeto e que não abalaram nosso ânimo.

Entre as entidades públicas, especial menção a todo o governo de Sérgio Cabral Filho e, pessoalmente, ao governador e ao seu vice, Luiz Fernando Pezão, que adotaram o projeto politicamente e o bancaram contra resistências internas. Também merece lembrança especial o chefe da Casa Civil do governo, advogado Régis Fichtner, diligente elaborador das leis estaduais modificativas, e o time da Procuradoria Geral do Estado, a Secretaria Estadual de Habitação e a talentosa equipe do Instituto de Terras e Cartografia do Estado (Iterj), a quem "importunamos" seguidamente com nossas demandas, e sempre bem atendidos. Menção especial ao apoio substantivo do secretário de Segurança Pública, José Mariano Beltrame, cuja visão extraordinariamente lúcida permitiu quebrar resistências ao projeto, dentro e fora do governo. E, na Prefeitura do Rio, ao prefeito Eduardo Paes e seus secretários, e aos órgãos administrativos e urbanísticos municipais. A esses caberá, agora, a delicada e permanente missão de regular com sabedoria a ocupação de um solo já ocupado (!) e de orientar os novos proprietários, aprovar seus projetos de casas, tudo por meio dos Pousos (Posto de Orientação Urbanística e Social). À Assembleia Legislativa do Estado do Rio de Janeiro (Alerj) e seus deputados, nossos cumprimentos por haverem compreendido o alcance e aprovado com urgência os projetos apresentados, e, na Câmara de Vereadores do Rio, menção particular à então vereadora Aspásia Camargo. No âmbito federal, contamos com o incentivo do ex-governador, hoje ministro de Estado, Moreira Franco.

Conversar sobre a regularização fundiária e o encorajamento político de uma comunidade é exercício indispensável, sobretudo quando atentos especialistas se dispõem a opinar e contribuir. Esse foi o caso das arquitetas e urbanistas Deborah Levinsohn e Lilian Brafman, a primeira no Rio de Janeiro e a segunda em Londres, de cujas ideias e sugestões nos beneficiamos muito. Na mesma linha de apoios intelectuais, figuram muitos outros, entre os quais André Urani, grande batalhador pelo Rio, com o ciclo de debates do OsteRio, e a Casa das Garças, tendo à frente Paulo Ferraz e João Roberto Marinho. Com certeza, todos os autores das obras referenciadas no nosso texto estiveram mais do que presentes ao longo do trabalho. Era como se estivessem conosco no Cantagalo.

Enfim, um reconhecimento antecipado ao casal Eduardo e Soraya Saad, que, como moradores de Ipanema, colaboraram na edificação do que seria a sede da "república cantagalense".

Um livro desta natureza só acontece quando um grupo dedicado e inspirado resolve contar a história, ajudando o narrador principal a se lembrar do que realmente aconteceu e, principalmente, por que aconteceu daquele jeito. Foram esses colaboradores diretos e permanentes que enriqueceram esta narrativa, por sua participação nos capítulos do livro e nos depoimentos ou, ainda, no relato resumido do projeto, ao final. Não poderia deixar de mencionar cada um deles, individualmente, como se lhes estivesse erigindo o pedestal de honra que lhes cabe, pelo destemor, pela determinação, pela inteligência e, sobretudo, pela altiva humildade com que trataram do desafio de titular a propriedade no Cantagalo.

Eles e elas, pela ordem de "entrada em cena" no livro, são:

Diogo de Figueiredo Moreira Neto, Rafael Mitchell, Ignez Barreto, José Luiz Sombra, Carlos Augusto Junqueira, Luiz Fernando Pezão, Mário Azevedo, Rafael Baleroni, Luís Erlanger, Flávio Ferreira, Melhim N. Chalhub, Lígia Fabris, Joaquim Falcão, Denise Carvalho e Merval Pereira.

E ainda nosso carinhoso reconhecimento aos notáveis depoentes, cujos testemunhos recolhidos nas páginas deste livro ganham relevo superior ao próprio relato dos mais diretamente envolvidos, já que os primeiros tinham uma melhor distância de observação crítica, com menor dose de paixão.

No campo administrativo, muito ficou a cargo das pequenas, mas valorosas, equipes da secretaria da Associação de Moradores (obrigado, Tati! E obrigado, turma do Bezerra!) e do Instituto Atlântico. Seus diretores e gerentes se destacaram por um trabalho anônimo: Rodolpho Anastácio, nas finanças, Cândido Oliveira Neto, na área jurídica, Marília Faria, na gerência de pessoas, Diego Spino, pelo importante trabalho no *site*, Peter Gaul e Nobu Ogata, nas filmagens, Ricardo Largman, Patrizia D'Averso, Ivron Queiroz e Bianca Neves — os três últimos da Mass Media —, na comunicação, Mônica Garcia, da Entrelaces, nas entrevistas aos depoentes, e Erika de Oliveira e Silva da SR Rating, na pesquisa e editoração. A eles se somou o grupo *ad hoc* de jovens advogados e arquitetos, como Flávia Meslin, Manuel Fiaschi e Júlio Sartori, dentre os mais lembrados. Mas é a Roberto Carvalho, viabilizador de milagres, e nosso vice no IA, que vão os mais calorosos cumprimentos, merecidos por toda sua equipe.

A ideia deste livro surgiu porque o professor Valter Caldana, arquiteto e curador da 9ª Bienal Internacional de Arquitetura, em São Paulo, nos entusiasmou a participar, aproveitando para contar esta história no papel. A ele e à equipe da Bienal, muito obrigado, como também ao extraordinário time da Editora Record, tendo à frente Sérgio Machado e Andreia Amaral, além de Marina Vargas, cuja competência fez a Record bater mais um recorde. Eles seguraram os fios desencapados de uma esmerada primeira edição a jato. A Record já havia publicado Hernando de Soto, portanto já apadrinhara a ideia poderosa da formalização jurídica da propriedade. A Record já estava lá por mais de uma década!

O fechamento deste longo e carinhoso abraço será para Luiz Bezerra do Nascimento, o Bezerra, o notável presidente da Associação Nossa Senhora de Fátima dos Moradores do Cantagalo, e para a maravilhosa diretoria e os gerentes da Associação: Cláudio Napoleão, o vice Paulo Cezar, Zineide Silva, Ivan Cerqueira, José Américo e muitos outros, cujos nomes são incontáveis e que seguraram pranchetas e trenas para o Projeto Cantagalo virar realidade.

Para encerrar o começo, com chave de ouro, uma palavra de louvor a Paulinho da Viola — que nos inspirou o título do livro com a letra de seu samba — e a todos os sambistas que nunca deixaram que o egoísmo do asfalto fechasse as pontes de acesso ao âmago generoso e talentoso da favela. Foram eles que ocuparam a avenida e tomaram conta do coração do Brasil.

Galo cantou!
Galo cantou às quatro
Da manhã
Céu azulou na linha
Do mar
Vou me embora desse
Mundo de ilusão
Quem me vê sorrir,
Não há de me ver
Chorar

Na linha do mar, Paulinho da Viola

sumário

Apresentação — 19
Cantando de galo: fundamentos de uma democracia
Diogo de Figueiredo Moreira Neto

Prólogo — 23
"Uma conquista ganha": raízes da cidadania na favela
Paulo Rabello de Castro

1. Que diferença faz um pedaço de papel? A essência humana da propriedade — 33
Paulo Rabello de Castro

2. Começando do começo: organizar ideias e mobilizar pessoas — 43
Paulo Rabello de Castro

3. Projeto Cantagalo: arquitetura social e meio de luta política — 53
Paulo Rabello de Castro

4. Polêmica da propriedade: quem tem medo de titular a favela? — 73
Rafael Mitchell

5. Ganhando mentes e corações: papel da liderança comunitária — 85
Ignez Barretto

6. O passado ensina: de Canudos ao Cantagalo — 95
José Luiz Sombra

7. Subindo o morro: implantação do projeto e desafios iniciais — 111
Carlos Augusto Junqueira

8. As cidades invisíveis: de Marco Polo ao Cantagalo — 123
   Luiz Fernando Pezão
9. Batendo duro e pegando leve: o emprego da lei e do direito — 129
   Rafael Mitchell
10. Vencendo oposições: as tarefas da equipe no Cantagalo — 139
    Mário Azevedo
11. As lições da propriedade: De Soto vai ao Cantagalo — 153
    Rafael Baleroni
12. Fim do mistério no Cantagalo — 165
    Luís Erlanger
13. Valor econômico da titulação no espaço urbano integrado — 169
    Paulo Rabello de Castro
14. Favelas: os próximos passos, na visão do arquiteto — 181
    Flávio Ferreira
15. De favela a cidadela: dura ladeira até se obter um RGI — 189
    Carlos Augusto Junqueira
16. O grande teste da usucapião administrativa — 201
    Melhim Namem Chalhub
17. Cantagalo, laboratório de direitos — 215
    Lígia Fabris e Joaquim Falcão
18. O maior programa social do mundo: titular o Brasil — 227
    Paulo Rabello de Castro
19. Papel da cultura no Projeto Cantagalo — 239
    Denise Carvalho
20. "República Cantagalense": novas pautas na favela-cidade — 247
    Paulo Rabello de Castro

Posfácio — 257
Ser dono do pedaço: a proposta política do Cantagalo
  Merval Pereira
Depoimentos
  A comunidade — 261
  Os especialistas — 267
  Os apoiadores — 275
  O projeto — 287
  English abstract — 297

apresentação

CANTANDO DE GALO: FUNDAMENTOS DE UMA DEMOCRACIA

Diogo de Figueiredo Moreira Neto*

Por definição, em uma democracia, qualquer cidadão é titular do poder de decidir sobre o interesse comum, portanto de gerar o que Rousseau denominou de *vontade geral*. Não é outro o teor do princípio fundador da democracia brasileira, que se lê no parágrafo único do artigo 1º da nossa Constituição: "Todo poder emana do povo."

Trata-se de um *poder político*, que longinquamente se havia considerado emanar das divindades e, por isso, se tratava de uma dádiva concedida a um patriarca, a um cacique ou a um chefe tribal, o que perdurou por séculos na forma da unção própria dos reis.

A ideia de que esse *poder* se tratava de uma virtude coletiva, e não apenas de um indivíduo, teve um breve fulgor na planície ática, marcando o esplendor do Século de Péricles, mas haveria

---

* Presidente de honra do Instituto Atlântico, jurista e professor catedrático de direito administrativo. Membro da Academia Internacional de Direito e Economia e procurador-chefe do Estado do Rio de Janeiro (1988-1998).

ainda que esperar mais de dois milênios para ser revivida pelo humanismo e inspirar os filósofos liberais, embora inicialmente esses apenas o considerassem sediado nas assembleias e nos parlamentos.

Hoje, é quase universalmente aceita a ideia de que o *poder* se assenta no *povo*, ou seja, no conjunto de cidadãos politicamente intitulados ao seu exercício, daí fundar-se a democracia nos vários *processos* deliberativos instituídos para recolher a vontade de todos ou de segmentos da cidadania.

Até aí, nada de novo e, em linhas gerais, sem controvérsias, que, não obstante, fatalmente despontarão, quando se passa a considerar não apenas a condição geral da *titulação* para exercitar o poder político cidadão, mas as condições socioeconômicas individuais dos titulados. Nesse ponto, desaparece a bela igualdade ideal concebida entre todos os cidadãos para revelar-se a desigualdade real e, com ela, a constrangedora existência daqueles que são mais ou que são menos *livres* para manifestar sua parcela de poder, distorcendo desse modo a autenticidade do recolhimento da pretendida vontade geral, ou seja: desfigurando, na *prática democrática*, a almejada *legitimidade teórica* do poder.

Nessas condições — que são reais — o fenômeno que o ilustre constitucionalista francês Pierre Ronsavallon denominou de *essencialismo democrático*,* como utopia crítica desde a qual se pode analisar a autenticidade das democracias contemporâneas, escancara a terrível realidade de serem todas, afinal, *insuficientemente democráticas*...**

---

* "Constitutionalisme et démocratie", *La vie des Idées* (19 de setembro de 2008), p. 5.
** Pierre Ronsavallon, *Democracy: Past and Future*, Nova York, Columbia University Press, 2006, p. 192.

apresentação | 21

Essa situação, não obstante dramática, pois que se constata a existência de diferentes classes de cidadãos — como galos, frangos e pintos de um mesmo galinheiro, embora só caiba aos primeiros elevar sua voz —, não é, afinal, desanimadora, senão que, ao revés, deve estimular a todos a prosseguir no que se entende como *o processo de democratização*, uma vez que *as regras democráticas estão implícitas no próprio processo*, que nele apenas se manifestam e nele não se criam, como hoje se patenteia na lúcida lição de Jürgen Habermas.*

É, portanto, desse auspicioso processo assintótico *de realização da democracia por meio da igualação das condições de exercício da cidadania* que trata este livro, que descreve a saga da conquista de propriedade imobiliária pelos moradores da comunidade do Cantagalo, justificando-se plenamente a alegoria do título da obra, mais uma iniciativa exitosa do Instituto Atlântico.

Cidadãos que cantam de galo! Que fique o rico simbolismo dessa imagem como prova de que podemos superar as dificuldades e prosseguir, com mais esse vívido exemplo, na construção dos fundamentos de uma, cada vez mais legítima, verdadeira democracia.

Teresópolis, inverno de 2011

---

* Jürgen Habermas, "Constitutional Democracy: A Paradoxical Union of Contradictory Principles?", *Political Theory*, 29/6/2001, p. 766.

prólogo

"UMA CONQUISTA GANHA": RAÍZES DA CIDADANIA NA FAVELA

Paulo Rabello de Castro*

Quantas vezes ele deve ter subido e descido pelas difí-
ceis rampas de acesso ao seu pedaço de chão encravado no alto do morro do Cantagalo? Fiquei me perguntando sobre esse detalhe, muitas vezes esquecido, do dia a dia de quem mora e constrói nas áreas de encosta, que são os espaços de ocupação usados com mais frequência pelos moradores de favelas no Rio de Janeiro. É um desafio a mais, que o cidadão do asfalto não percebe com clareza a não ser que, um dia, vá até o morro que provavelmente se esconde em seu bairro e se atreva a escalar as vielas e escadarias tortas daquela outra nação de brasileiros onde nasce boa parte dos serviços da cidade formal, onde moram o samba e o carnaval, de onde saem o futebol e o teatro da vida real, da comédia à tragédia, inteiramente protagonizado por personagens como Ivan, um magrinho de meia-idade, de

---

* Economista e bacharel em direito, PhD pela Universidade de Chicago (1975), presidente do Instituto Atlântico e ex-presidente da Academia Internacional de Direito e Economia.

sorriso sempre amável no canto da boca, que denuncia a inteligência rápida e a capacidade de improvisar quando lhe falta a próxima frase do seu *script* pessoal.

Desde o início, nada foi fácil para Ivan Cerqueira, baiano de nascimento, cidadão esperançoso e precário da favela do Cantagalo, desde os distantes anos 1970, dono sem papel de uma das mais belas vistas que a natureza poderia proporcionar ao homem.* Quando Ivan chegou à favela, havia muito menos Cantagalo. Ele foi chegando, como tantos outros, para fazer parte de um exército de homens e mulheres que vieram de longe à procura de um espaço virtual, chamado oportunidade de vida. Ousar era preciso. Vieram construir outra nação — a do asfalto — que se alojava nos altos prédios surgidos no *boom* imobiliário de Copacabana, Ipanema, Lagoa e Leblon, na cantada Zona Sul da Cidade Maravilhosa. Onde ficar, onde construir a própria casa e trazer para perto a família deixada no longínquo povoado de origem? A pergunta de Ivan e de tantos outros trabalhadores na construção civil dos anos 1940 aos anos 1970 — décadas de progresso extraordinário da urbanização brasileira — permaneceu sem resposta até hoje.

A precariedade social da favela tem sua raiz mais funda em um passado enterrado debaixo de muitas eras de indiferença do planejador de cidades, diante do movimento esperado e acontecido de pessoas humanas que vêm concorrer a uma vaga de trabalho e a um tíquete de entrada no sorteio de oportunidades que, todos os dias, premia alguém na cidade grande. Esse é o DNA de origem de qualquer favela do mundo

---

* Leia o relato de Ivan na seção Depoimentos, no final do livro.

e em qualquer tempo, que não diferencia o imigrante de Mumbai, de Lagos ou de Luanda, do Rio e de São Paulo, da antiga Londres ou de Nova York, de Lima, do Cairo ou de Manila. Poucos foram os casos, na história do planejamento urbano, em que o senso de antecipação dos líderes políticos surgiu com respostas antes de as perguntas serem feitas, antes de o problema da habitação irregular se instalar, antes de o drama humano assumir sua face mais dolorida. O Rio não foi exceção a uma regra de derrota do planejador, pontuada por espasmos de respostas, não raro polêmicas e fortes. O que, talvez, mais tenha distinguido o Rio foram as décadas seguidas de acomodação na precariedade, uma síndrome do nosso "jeitinho", dessa vez transformada em traço coletivo monstruoso...

Ivan concorreu, desde o início, ao bilhete da sorte na cidade grande. Comprou um dos bilhetes mais caros. Foi se aboletar no pincaro do morro íngreme. Não quis saber de moleza, pois estava comprando um sonho com vista para o mar. Pagou pedágio a pé. Nem por isso reclamou. A vida do favelado exige atitude. A vida de qualquer ser humano exige atitude, mas a precariedade da sobrevivência social na favela demanda uma atitude mais guerreira, diante do indefinido permanente, da oficialização da insegurança civil, política e pessoal. Todos os dias são dias de reconstrução e repactuação de direitos. E isso é muito diferente da vida lá embaixo, no asfalto, onde os direitos são alcançados conforme regras de acesso previamente estabelecidas, a cujo exercício de defesa coletiva chamamos, esperançosamente, de "justiça".

Na favela a lei é outra. Portanto, um desafio para a ordem institucional que aprendemos nas escolas de direito. Na precariedade da vida na favela, a diferença fundamental está nisso mesmo, pois o direito do asfalto não sobe morro, criando uma duplicidade permanente de situações para os homens e as mulheres que transitam entre essas duas realidades, deles se exigindo um elevado poder de improvisação e adaptação.

Questões de alta complexidade têm uma desculpa perfeita para permanecer sem solução. A favela é uma dessas questões de resolução incompleta ou imperfeita. Parte da dificuldade está, contudo, na natureza da pergunta que se faz sobre a favela. Se você pergunta, como a maioria, por que a favela está ali e o que se pode fazer para removê-la do circuito da cidade formal, provavelmente estará fazendo como aquele alpinista que preferiu escalar o Everest pelo lado mais difícil. O Everest enterrará a tentativa e provavelmente engolirá o alpinista. Mas existe sempre outro lado, mais fácil, embora menos conhecido. Foi o que tentamos fazer ao enfrentar o desafio de propor uma integração de resultado mais confiável entre a realidade do bairro de Ipanema e a favela do Cantagalo. Era preciso inverter o sentido da pergunta. Em vez de perguntar o que a favela estava fazendo lá, perguntamos o que *nós* estávamos deixando de fazer. Em vez de partir diretamente para a pergunta com resposta pronta, isto é, como remover a realidade indesejável da favela, por que não inverter para a questão *sem* solução *a priori*, o que fazer para *não* remover a favela, dela eliminando, entretanto, os traços de conflito trazidos por sua presença não planejada e não desejada.

Exibir a contradição fundamental entre a favela e o bairro deixou, como por encanto, de ser, para nosso grupo de trabalho, um esforço de negação para se tornar a fonte de nossa inspiração. O enfrentamento da contradição nos liberou do pacto tácito de venerar uma solução fácil. Liberou-nos da vontade de buscar a solução fabricada ou preconcebida. Ganhamos a liberdade de errar na busca, sem sustos, do acerto final. Acho que chegamos perto. Didaticamente, o acerto nasce dos erros e, portanto, somos eternos devedores dos muitos que tentaram encarar a montanha subindo pelo lado mais difícil do penhasco. Nada é mais arriscado do que tentar remover e transplantar uma comunidade inteira do local onde está. Muitos administradores urbanos já foram por aí, com resultados contraditórios, alguns bem-sucedidos, outros trágicos. Transformar, cosmética ou cirurgicamente, a "cara" da favela é outra forma de se gastar muito dinheiro e energia para conseguir um retorno fracionário de centavos para cada real despendido no programa. Aprendemos que a favela é substancialmente precária porque senão favela não seria. E a solução para remover sua precariedade não parece ser a eliminação de seu modo de ser, nem do modo de ser de seus habitantes.

Foi assim que a equipe do Instituto Atlântico (IA) foi conhecer Ivan e pedir a ele que nos indicasse caminhos. Não porque desconsiderássemos nossas próprias convicções, mas pela absoluta necessidade de inverter a mão do processo de obtenção de respostas para um problema antigo, permitindo que o desate do nó da favela como "intrusa no bairro" passasse pela visão alternativa do "bairro intrometido" no dilema da favela. O embate entre esses dois lados da questão começou a ficar claro para nosso grupo desde o primeiro debate, no auditório da Faculdade Candido Mendes, na Praça Nossa Senhora da Paz, promovido entre representantes do Governo do Estado do Rio e os dois lados de Ipanema, o de cima e o de baixo, em que o corpulento arquiteto oficial apresentava sua "solução" para os acessos à favela, a concepção grandiosa dos novos equipamentos urbanísticos e os recortes do novo caminho trafegável que surgiria como um anel envolvendo o morro.

Queixei-me intimamente de me sentir em um desses dias ruins, de entendimento fraco, pois a solução oficial oferecida pelo arquiteto não fechava na minha cabeça. Em seguida, descobri que estava em boa companhia. Vários moradores do Cantagalo ousaram pedir a palavra e, com todo jeito, manifestar semelhante desentendimento. Vi que não estava sozinho na estreiteza do meu pensamento. Minha estupidez convergia para a média dos presentes no salão. A surpresa foi maior quando os representantes do asfalto também começaram a discordar da opção apresentada para resolver o problema da favela. Ignez Barretto estava lá, e eu já a sabia uma pessoa interessada e preparada. Suas observações me levaram a sair dali convencido de que outro caminho precisava ser buscado, comprometido com meus pares do IA a fazer isso acontecer, desde que com a aquiescência dos líderes da comunidade do Cantagalo, ali representada por diretores de sua engajada Associação de Moradores.

Foi assim que começou uma relação de amizade, respeito mútuo e confiança. Estávamos todos embarcando em uma aventura cujos desdobramentos, felizmente, ignorávamos por completo. Se fosse para saber, por antecipação, quantos anos a luta demandaria de nosso tempo e quantas dificuldades ainda teríamos pela frente, tenho certeza de nossa desistência imediata. Iniciamos por entusiasmo, prosseguimos por ignorância e insistimos por pura teimosia e incapacidade de largar uma briga no meio do caminho. Dessas duvidosas qualidades, talvez apenas o entusiasmo passe pelo crivo da virtude, mesmo assim desde que o bom senso não tenha ponderação elevada.

Operamos com a visão de que um novo mundo era possível do lado de lá do oceano. Ao tempo do descobrimento, caravelas demoravam mais de quatro meses se arrastando morosamente sobre as infinitas ondas do grande Atlântico, no percurso entre Lisboa e a costa brasileira. Desde a escola, tal viagem me parecia fantasiosa e inverossímil por sua grande duração e pelos perigos que envolvia. A ponto de ser descrita pelo poeta, vários séculos depois, como "navegar é preciso, viver não é preciso". Pois a viagem sobre o atlântico do Cantagalo tem sido muito mais demorada e penosa em alguns momentos. A sorte são a calma bravura e a fria insistência de uma equipe que jamais perdeu um só membro, tamanha tem sido a galvanização do pensamento em torno do resultado esperado da jornada.

Eis porque, em dado momento de sua marcante entrevista a André Trigueiro, o experiente repórter e apresentador do programa *Cidades e Soluções*, da GloboNews, nosso colaborador Ivan teria sido tão contundente em sua resposta sobre a primazia do título da propriedade como porta de passagem da precariedade para a estabilidade do cidadão na favela. Respondendo à pergunta direta do repórter, Ivan saiu-se com a frase definitiva, o gol de placa: "É uma conquista ganha." Mas que tipo de conquista seria essa, afinal? Que conotação teria que estivesse relacionada com a qualidade da solução em si mesma?

Ainda não sabemos. Mas temos desconfianças importantes. Estamos com a mesma sensação dos descobridores em uma terra nova e ignota. Uma parte relevante do sucesso na implantação do Projeto Cantagalo — como o temos denominado — talvez o fermento mesmo do êxito esteja na convicção dos seus beneficiários diretos a respeito do impacto da titulação definitiva da propriedade como divisor de oceanos entre a precariedade e suas raízes históricas, de um lado, e, de outro, a conquista da estabilidade jurídica na posse do teto e todos os efeitos que, em curto, médio e longo prazos, se conseguirá daí colher em virtude de havermos chegado a um porto seguro, com a população do Cantagalo incólume a cismas, ciúmes e cizânias.

Este livro é sobre a viagem que temos feito e que ainda não acabou! Passa, entretanto, a merecer este registro coletivo de bordo por já ser, para muitos e especialmente para os moradores do Cantagalo, uma conquista do esforço de cada um e de todos. Não deixa de ser espantoso — e nisso nada tivemos de merecimento específico — o fato de todos os moradores haverem aderido à proposta de lutar pelo título de propriedade como caminho de integração efetiva da favela ao bairro, mais do que qualquer outra ferramenta de solução urbanística.

O que ficou resolvido na primeira Assembleia Geral da Associação do Cantagalo foi o mesmo que os moradores endossaram em todas as deliberações seguintes: o título definitivo da propriedade precisa ser conquistado. Até o tráfico, na época ainda armado até os dentes e, na prática, "dono do pedaço", teve de se curvar diante da realidade de uma voz uníssona da comunidade local em favor de um passo em nova direção. E, surpreendentemente, o tráfico também passou a pensar no problema fora da caixa, aderindo ao objetivo comum ao endossá-lo. Não pode deixar de ter registro a ligação de um detento de Bangu I, alertando que sua moradia não ficasse excluída do levantamento de posses que estava sendo realizado naquele momento!

Esses são episódios pitorescos e pedagógicos que você encontrará nesta narrativa a muitas mãos de uma peripécia em torno da solidariedade humana, envolvendo, em destaque, os próprios interessados, protagonistas verdadeiros de sua história, mas, logo em seguida, também líderes jovens e maduros da sociedade organizada pelo estado de direito do asfalto. São jovens egressos das melhores faculdades de direito, com o suporte de sólidos escritórios de advocacia, empresários atentos e interessados em dar apoio a ideias diferenciadas por meio de seus institutos de pesquisas sociais sem fins lucrativos e, enfim, das forças do próprio governo, não obstante as renhidas batalhas internas travadas pelas burocracias estatais, agora desalojadas de suas arraigadas e arcaicas convicções, não pela distante voz do cidadão, mas pelos líderes políticos novos que vão surgindo para questionar falsas soluções para a favela, que nunca funcionaram. Com o crescente entendimento da mídia. Vamos contar isso aqui.

Como vamos contar aqui, também, a quantidade de degraus que Ivan terá subido e descido no Cantagalo desde que chegou da sua Bahia. Fica como um desafio para as mentes matemáticas estimar quantos foram os degraus percorridos por um homem e suas canelas, ida e volta, levando o sustento a sua família, levando tábuas usadas para a obra, a chapa de zinco, a tubulação comprada como um pequeno tesouro, o tijolo, o saco de areia e o cimento. Como um Sísifo carioca, Ivan Cerqueira e todos os outros Ivans levaram sobras da cidade do asfalto para construir sua morada no morro. Quantos foram os degraus? Quanto tempo levou? Qual é o respeito que devemos ter por isso?

Algumas respostas estão nestas páginas. Outras, ainda estamos buscando. O livro é um convite aberto a todos que queiram nos ajudar na empreitada de fazer o galo cantar para todos os favelados e moradores de propriedades irregulares no Brasil. As soluções encontradas nem sempre serão as mesmas. Mas todas têm uma só fórmula de sucesso: tem de ser uma "conquista ganha". Não pode ser dádiva de ninguém.

1

Que diferença faz um pedaço de papel? A essência humana da propriedade

Paulo Rabello de Castro

> "... la gente es capaz de forzar um sistema que no la acoge, no para caer en la anarquía, sino para tratar de forjar uno distinto que respete un mínimo de derechos indispensables."
>
> Hernando de Soto, *El otro sendero**

Foi difícil convencer Luiz Bezerra do Nascimento, presidente da Associação de Moradores e líder do morro do Cantagalo, de que o documento de cor meio amarelada que ele zelosamente nos mostrava de fato não era uma prova de propriedade do terreno ou da casa em que morava. Paulo Roberto, o outro diretor, também ficou segurando o seu pedaço de papel, como aquele personagem de filme, em fuga dos nazistas, mostrando seus documentos na última estação de controle antes de pisar no território da liberdade. Os demais

---

* Hernando de Soto, *El otro sendero: la revolución informal*, Buenos Aires, Editorial Sudamericana, 1987, p. 59.

diretores da Associação de Moradores também ficaram calados, e o silêncio geral pesou sobre a sala pequena e abafada onde nos reuníamos, pela primeira vez, com o pessoal do PSI (Projeto de Segurança de Ipanema), liderado por Ignez Barretto, grande incentivadora do nosso primeiro encontro.

O Instituto Atlântico — ou, na abreviatura, IA — parecia ser o mensageiro de todas as más notícias, naquela que tinha tudo para ser a primeira e última das reuniões entre o bairro e a favela, entre o morro e o asfalto, entre os possuidores e os despossuídos, entre os bem-estabelecidos e os precarizados. O papel do IA sempre me foi muito claro nessa relação, mal iniciada e já estressada por tantas e delicadas confrontações. Esclarecer a questão do documento "de posse" apresentado por Bezerra e seus companheiros era a verdadeira razão de ser da contribuição do Instituto. Daí o pesado momento de interrogação que se abateu sobre a diretoria da Associação, ao tomar conhecimento da precariedade do papel amarelado que indicava a posse de cada um deles no território do morro. Era nossa missão insistir no conceito correto e começar falando a verdade, mesmo que arranhasse, goela abaixo, na hora de engolir a notícia amarga. Estávamos diante da essência do problema do Cantagalo, como de todas as comunidades irregulares ou *informales* (no dizer do filósofo peruano Hernando de Soto, o pesquisador que mais estudou o tema).* Todos os ocu-

---

* Hernando de Soto é o papa do debate sobre o direito de acesso — ou da falta desse direito — de populações carentes ao título da propriedade e a um simples alvará de funcionamento de seu pequeno negócio, havendo dedicado sua bela carreira de pesquisador social, economista e filósofo moral a levantar e compreender tal realidade em seu país, o Peru, e, por meio do Instituto Libertad y Democracia (ILD), divulgar tais noções originais para gente do mundo inteiro. De Soto nos serviu de fonte de inspiração. Daí minha preferência por chamá-lo de filósofo, não de economista.

pantes ilegais de um espaço urbano ou rural sonham com o dia de sua regularização. É um sonho alimentado muito vagarosamente, pois toda ocupação ilegal, mesmo quando totalmente consolidada, como é o Cantagalo, um dia foi invasão.

Mas o invasor tem o hábito de se banhar no Ganges da expectativa de um direito futuro, que De Soto apelida de *"derecho expectatício de propiedad"*.* Que espécie de direito é esse, afinal, que transita com força variável, ao longo da vida jurídica de um morador de favela, por vezes alimentando, por vezes frustrando a perspectiva do sujeito de ver tal direito se tornar um estandarte sólido e palpável aos olhos de todos? Imaginem, então, a frustração de Bezerra e seus companheiros diante de minha negativa sobre a eficácia daquelas certidões emitidas pelo Cartório de Registro de Títulos e Documentos, cujo valor se limitava a estabelecer a "presença" de cada morador como ocupante do imóvel descrito e assinalado como sendo de sua posse na data da anotação. Esses registros haviam sido distribuídos por generosa iniciativa de um cartorário, ao entender que estaria dando a cada morador do Cantagalo alguma segurança adicional quanto à posse da sua casa uma vez que esse direito de permanência estivesse anotado no cartório. E, de fato, essa presunção de segurança não era fantasiosa. Contudo, permanecia contaminada pelo mesmo vírus da precariedade. Bezerra e seu time não custaram a entender a diferença quando lembramos que o título que

---

* *"Sin embargo, el derecho expectatício de propiedad no proporciona a sus titulares todos los beneficios que consagra el sistema jurídico formal. Tiene um carácter temporal, en espera de que alguna vez el gobierno confiera a los informales la propiedad definitiva o de que, con el transcurso del tiempo, las organizaciones populares puedan defenderlo tan efectivamente como El Estado."* Op. cit., p. 24.

Ignez ou Paulo ou qualquer um do asfalto detinha sobre suas próprias residências não era do mesmo teor, e sim um título definitivo de propriedade.

A ficha caiu. A diferença entre um pedaço de papel e outro de fato existia. Era sinal de que a luta pelo direito a uma posse estável e, principalmente, pelo direito de dispor do imóvel adquirido informalmente ainda estava longe de ser concluída. Aos poucos, a tensão invisível na sala apertada foi se dissipando. Perguntei quantos tinham o documento do cartório. Nem todos. Mas os que o tinham costumavam fazer suas transações de "compra e venda" na Associação, "pra deixar tudo anotado direitinho". Era o outro direito, consensual e não coercitivo, nascendo no vácuo do sistema formal, rígido, complexo e inalcançável. Apesar de rústico, esse direito imobiliário informal passou a representar, em inúmeras localidades do Brasil, o andaime que permitiu a construção de um sistema estável e confiável, embora alternativo, de convivência social de tantas e tantas famílias egressas do meio rural. Nisso, o Rio de Janeiro não exibe qualquer originalidade, pois o que aqui se passou, nos anos de intenso processo de urbanização, não difere, senão em velocidade de ocorrência, do restante do mundo.

O deslocamento de populações inteiras do meio rural para as principais cidades brasileiras se deu de modo tão célere quanto não planejado. As coisas foram acontecendo e ganhando ímpeto a partir dos anos 1930, na chamada Era Vargas, em uma alusão ao nosso líder maior na época, o presidente e, em certos períodos, também ditador, Getúlio Vargas. A população apresentava uma enorme taxa de natalidade. Apesar da elevada mortalidade infantil, os nascidos vivos, quando completavam um ano de vida, ganhavam esperança estatística de, um dia, engrossar o vasto exército de analfabetos ou semiletrados que acorria às jovens cidades brasileiras com suas bagagens de fé no futuro e uma quase tola alegria de viver os desafios das selvas de concreto que ajudariam a construir. Nada se compara à velocidade de urbanização relativa do Brasil. De certo modo, tal constatação ajuda a perdoar os apagões de planejamento na expansão incontrolável das cidades. E quando colocado esse desafio no plano dos embates políticos, terreno propício à neutralização recíproca de iniciativas entre situação e oposições, estaria contratada a paralisia decisória sobre o manejo ordenado e inteligente da mancha urbana.

Bezerra, seus diretores, os demais moradores do Cantagalo são todos filhos, netos e bisnetos dessa grande implosão difusa da população brasileira. Falo de implosão por ter sido um movimento para dentro, e não para fora. Houve concentração, não distensão. Houve amontoamento, agregação desordenada, notável concentração edílica, como se espaço não houvesse fora de um círculo de raio cada vez mais fechado. Para entender o fenômeno, entretanto, haveremos de recorrer ao custo do tempo dos homens e das mulheres que lutavam pela sobrevivência de suas famílias no espaço urbano, aí imputando a notória falência dos transportes de massa e dos serviços essenciais, como educação e saúde, no exterior de um estreito arco de bairros da cidade formal. O resto é pura consequência. Como lidar com os múltiplos efeitos defasados da implosão para dentro do buraco negro do universo urbano, isso foi deixado à imaginação de gerações futuras.

Nossa primeira reunião prosseguiu bem, apesar do risco de morte súbita ao se descobrir que aquele papel do cartório não valia contra a caneta do governo ou para buscar o socorro do juiz do asfalto. Era preciso buscar o tal título definitivo. A briga pela propriedade reagrupou interesses de todos os envolvidos, fazendo cada parte calcular o custo de aquisição do produto final. O IA teria a missão de correr atrás de recursos materiais e intelectuais para pôr a tropa de pé, o que demandaria um caixa capaz de suportar as despesas essenciais para cumprimento dos requerimentos da lei. Bezerra e seus diretores nem faziam ideia de que montante estávamos falando. Mas sua avaliação política recairia sobre outra área decisória, a dos encargos supervenientes à aquisição do título. Custos de energia não mais desviada da rede elétrica. Custos da transmissão de TV a cabo. Custos de cobrança pelo fornecimento de água. Custos de impostos e taxas nunca antes pagos, principalmente quando a Prefeitura resolvesse chegar com o carnê do IPTU. Posto na balança, esse conjunto de ônus e gravames não chegou a incomodar os cantagalenses a ponto de demovê-los da intenção declarada de prosseguir na luta que, então, apenas se esboçava.

Para os líderes do asfalto tampouco a decisão de empreender a busca do título para os vizinhos do morro se apresentava como trivial. O exercício da liderança associativa é essencialmente pluralístico. Por isso, não havia como fazer para atalhar o entendimento da proposta por parte dos moradores de Ipanema e arredores. Que percepção teria a maioria deles sobre essa história de entregar títulos "verdadeiros" na favela? Inclusive para traficantes, imagine só! E sem os futuros titulados desembolsarem um único centavo, como pode isso? Que direito da cidade formal respaldaria tamanha ousadia reivindicante? Como abrigar essa demanda sem fazer explodir, no dia seguinte, uma fila de novos invasores do pedaço a requerer isonomia de tratamento e aos poucos transformar uma disciplinada postulação de antigos ocupantes do Cantagalo em um saco sem fim de vantagens concedidas a toda sorte de malandros?

Para cada uma dessas indagações haveria que se descobrir um bom argumento neutralizante. Era a tarefa de dois jovens advogados, ambos egressos da PUC-Rio, amigos entre si e dispostos como nunca a uma boa briga por uma causa nobre, embora difícil. Carlos Augusto Junqueira, o Guto, no carinho, e Rafael Mitchell, o Rafa, eram as cabeças com que inicialmente passei a contar para o enfrentamento da batalha das ideias no campo do direito. Deles nunca recebi um "não pode" como resposta a qualquer barreira a ser superada. Guto e Rafa, que você conhecerá melhor nas páginas seguintes, tinham a atitude certa para lidar com os clientes que arranjáramos para eles: onde houver um muro, pegue um giz e desenhe o perfil de uma porta; ponha nela uma maçaneta e tente abri-la. Se não abrir, pegue uma escada e escale o muro. Em último caso, chame a turma e derrube o muro.

Embora soe agressiva, a atitude do advogado, nesse caso específico, tem de ser a de um "produtor de direito". Como afirmara o poeta, aqui não há caminhos; é caminhando que se faz o caminho. Hernando de Soto enxergara a força da atitude de uma comunidade inteira ao fixar sua verificação científica e social sobre o que chamou de "avanços da informalidade" sobre o terreno da legalidade. De Soto contou nada menos do que nove tipos desses avanços na realidade peruana dos informais.* Cada passo ou avanço era uma conquista a mais da comunidade para consolidar sua expectativa de direito. Portanto, um direito em construção. Uma realidade se superpondo à anterior, uma espécie mais robusta gradualmente se impondo e dominando o ambiente. Advogar tal conceito exige duas coisas: primeiro, o perfeito domínio do direito do asfalto, o convencional, o que está escrito, votado e publicado, sobre o qual deliberam os togados com a circunspecção que o poder instituído lhes confere. Segundo, o entendimento intuitivo e progressivo do direito nascente, puerperal, que ainda não adquiriu forma definitiva e convida à criatividade temperada pela capacidade de espera, ou seja, de mera observação sem ação imediata. Apenas reflexão.

Não deixa de ser saboroso retroagir um pouco no tempo. A primeira reunião com os clientes do Cantagalo — assim sempre os tratamos, por respeito e conduta profissional, mesmo operando *pro bono* — nos revelou o quanto teríamos de aprender antes de agir em nome da comunidade. O conhecimento não estava conosco, nem nos livros, mas na evolução, nos avanços e nas conquistas da própria favela. E isso não estava escrito nem depositado em lugar nenhum. Restava necessário ouvir muito, procurar entender e conferir tal entendimento, antes de agir e reivindicar em nome do conjunto dos moradores. E, sobretudo, conversar, como estávamos fazendo naquele fim de tarde do início de 2008.

---

* Op. cit., p. 35 e seguintes.

O caminho estava finalmente traçado. O IA nunca foi um centro de pesquisas propriamente. Não no sentido da observação pura, mas de certo impulso, até lúdico, de experimentação prática, com apoio na boa teoria social. Foi assim que encerramos a primeira reunião do grupo, cada um com seu dever de casa alinhado, com o objetivo comum de acelerar a obtenção de um título definitivo para cada residente do Cantagalo em condição de ascender ao grau de proprietário de seu imóvel. À medida que a noite caía sobre a parte do morro que víamos pela janela do escritório, as casas iam mudando de cor, ficando mais pálidas, como se cansadas da exposição ao sol de leste que se despeja sobre a fachada principal do Cantagalo. Era por volta das sete da noite quando nos despedimos na portaria do prédio, enquanto o tráfego incessante da Visconde de Pirajá despejava sua impaciência nas buzinas dos carros. Era o asfalto falando. Como alpinistas do desconhecido, acabáramos de contratar a busca de outro caminho, um novo *sendero*, como nos diria De Soto, se lá estivesse presente. De algum modo, ele estava.

2

Começando do começo: organizar ideias e mobilizar pessoas

PAULO RABELLO DE CASTRO

> *"Vox Populi, Vox Dei."*
> Dito popular universal

A conquista de uma aspiração popular é sempre um processo penoso, construído por etapas. De verdade, ninguém está autorizado a expressar a vontade popular senão a própria maioria, falando por si ou por representantes claramente legitimados, e mesmo assim haverá também que se respeitar o direito de expressão de quem discordou e divergiu. O ditado de que a voz do povo é a voz de Deus soa mais fácil quando enunciado do que praticado!

Não tinha por que ser diferente no Cantagalo. Ali estava uma comunidade incrustada dentro de outra — o Cantagalo em plena Ipanema — e cercada por mais algumas — de um lado, Pavão-Pavãozinho e Copacabana, do outro, Lagoa, Cruzada São Sebastião e Leblon —, todas com identidade marcada e vida própria, com representantes falando por cada uma delas e com visões distintas de sua inserção na cidade do Rio, que fala, por sua vez, por todos os bairros e locais, por meio de um prefeito, pela Câmara de Vereadores, além de, em um plano mais elevado, pelo Governo do Estado, a Assembleia Legislativa e o governo federal.

O morador do Cantagalo fala com o vizinho, fala com a Associação, fala — quando se atreve -- com o chefe do tráfico e com o policial da patrulha. Tenta falar com o médico de plantão no ambulatório, com a diretora da escola e com o delegado de polícia, se conseguir. Essas são as instâncias de apelação de um morador de favela, que já não são poucas, e delas ele tentará fazer o melhor uso possível, para não pedir demais e ser rechaçado ou escorraçado, quando não abusado, por abrir a boca quando faria melhor calado. Ao descer todos os dias os degraus que o aproximam da cidade formal, o morador do Cantagalo vai saindo de uma esfera de poder e se transferindo a outra, bem distinta. É como se preparar para falar duas ou mais línguas diferentes, expressando a vontade individual por códigos inteiramente diversos um do outro, convivendo simultaneamente com a mesura e a violência, com as dissimuladas boas maneiras e a desabrida brutalidade de tratamento. O morador do Cantagalo tem de exercer a diplomacia do dia a dia, a arte do jeitinho, a sensibilidade da troca de códigos e dialetos, tudo para tentar proteger e conservar direitos essenciais à sua sobrevivência, que lhe serão inesperadamente confirmados ou contestados pelas tais instâncias de poder a quem ele apela ou suplica pelo favor da audiência e decisão. É um mundo onde os riscos de expropriação súbita, inclusive da própria vida, são como o ar que se respira. Mas pode ser também a expropriação da casa porque o tráfico a tomou, porque a chuva levou ou porque o governo quis.

A mudança desse padrão de instabilidade absoluta para outro, de relativa previsibilidade, passa a ser o sonho de qualquer morador de favela. Não é à toa que a mera hipótese de ter o direito ao seu teto de algum modo estabilizado tenha gerado nos moradores do Cantagalo tamanha esperança, ainda que temperada da dúvida e do receio de ser apenas mais um devaneio em meio à cruel e dura realidade.

Esse sentimento estava claramente estampado nas faces dos presentes à Assembleia Geral da Associação Nossa Senhora de Fátima dos Moradores do Cantagalo, naquela manhã de sábado. A reunião foi convocada com uma única ordem do dia: ouvir e votar a proposição do pessoal do Instituto Atlântico, secundado pela turma do Projeto de Segurança de Ipanema (PSI), de organizar a luta pela titulação da propriedade na comunidade. De propósito, e teimando contra minha insistência de encher uma quadra de moradores para ouvir a explicação da proposta, Bezerra, o presidente sábio e jeitoso, politicamente um gênio, me contrariou ao estabelecer a assembleia, apesar de geral, convocada efetivamente para um círculo de líderes das diversas localidades do morro. Reuniu, de fato, embora sem desconfiar, um colégio eleitoral. Conforme me justificou, era porque precisávamos ouvir, debater e entender perfeitamente o conteúdo da proposta do Instituto, e isso resultaria impossível em um ambiente aberto, sujeito a qualquer tipo de interferência.

Desde logo, aprendi a prestar atenção nas palavras e no gestual meticuloso de um homem tão simpático e suave quanto estrábico, cujo defeito visual deve ter-lhe ajudado, na escalada da política comunitária, a jamais encarar um interlocutor cara a cara, como que ameaçadoramente. Nunca vi Luiz Bezerra alterar seu tom moderado e sinuoso de argumentar, como pedindo licença para dizer o que precisava ser dito. A ninguém, fosse grande ou pequeno para ele, o vi agredir com uma palavra posta fora de lugar. Bezerra é uma dessas pessoas capazes de gastar cinco vezes mais palavras para dar seu recado de modo a não ser nem parecer rude ou intragável.

E foi exatamente desse jeito cuidadoso, olhando sem olhar, baixando a voz até quase ficar inaudível, que ele me contrariou com razão. Deu um jeito de fazer a assembleia decisiva na laje do prédio da Associação, cujos degraus irregulares da escada que ascende a um sétimo andar, lá no alto, vão nos levando ao cenário espetacular da vista do encontro de Copacabana com Ipanema, em um casamento de mar com montanha que faz esquecer a agonia e o cansaço do morador, meio anjo, meio homem, pairando sobre a cidade amontoada lá embaixo, selva de pedra, de pétreos privilégios esculpidos para sempre na pedra invisível da lei dos homens do asfalto.

A reunião transcorreu como Bezerra previra. Apareceu quem quis dar as caras. Havia ali perto de cem pessoas, entre asfalto e morro. Na parte coberta da laje, um salão amplo e quente para a hora do dia, deu para abrir um grande círculo de gente, não faltando no canto o lanche de doces, bolo e refrigerantes, condições essenciais a uma reunião popular bem-sucedida. O lanche era para o final. Bezerra apresentou as pessoas, introduzindo os visitantes com as personificações que julgava mais impressionáveis aos membros da Associação. Ao me passar a palavra, acho que consegui a nota certa para a explicação necessária sobre os propósitos e os riscos da empreitada de obter um papel definitivo para a casa de cada um dos presentes e de seus vizinhos. Riscos, com certeza sim, pois o procedimento exigiria unidade de ação e adesão pessoal de cada morador, apesar de a Associação, pela lei, poder substituir os moradores numa eventual ação judicial coletiva de reivindicação da propriedade. Em seguida, passei a palavra aos dois jovens e valentes advogados que me acompanhavam, Carlos Augusto Junqueira e Rafael Mitchell.

Não diminuo a competência profissional nem a erudição desses dois advogados, a quem tanto prezo e admiro, ao apresentá-los, sobretudo, como valentes. Competência e saber jurídico não sobem morro. Mas a coragem de fazer ideias se tornarem ação concreta, isso sim faz remover montanhas de obstáculos aparentemente intransponíveis e passa a exercer poder transformador sobre a ordem antiga. Continua sendo sempre necessário reunir as ideias certas e a estratégia de menor resistência para se conquistar uma vitória transformadora. Porém, essas são as condições necessárias, não suficientes. Suficiente é a coragem de lutar, o que inclui a coragem de levar uma corajosa esperança à plateia cética, mas ávida de um sonho novo.

Foi o que aconteceu. Com explicações simples, sem excesso de detalhes então supérfluos, pusemos os deliberantes diante da possibilidade de ingressar com um pedido judicial de usucapião coletiva das moradias do Cantagalo, possivelmente por etapas, já que o levantamento cartorial preliminar do território do Cantagalo nos indicava uma multiplicidade de situações jurídicas diferentes, requerendo, cada uma, abordagem peculiar. O mais importante naquele momento, me apressei a esclarecer, era a deliberação sobre a vontade de seguir adiante, como condição à obtenção de recursos de alguma fonte doadora generosa para realizar os dois levantamentos essenciais, o censo socioeconômico completo da comunidade e, em seguida, a topografia integral do morro e de todas as suas edificações e todos os seus pontos de relevo e acesso, como vias, vielas e becos, escadarias e rampas, pedras e edificações de uso comum.

Ainda me pergunto, por curiosidade política, como Bezerra resolveu a questão do voto de minerva daquela assembleia, quer dizer, o "nada contra" do tráfico, então senhor poderoso e incontestável de tudo que lá ocorria. Será que havia na reunião um discreto representante deles que ninguém do asfalto chegou a perceber? Confesso que procurava nos olhares e nas posturas de alguns participantes mais calados e quietos a pista para identificar a censura invisível do poder armado no morro. Podia estar lá. Mas nada consegui concluir. Nem me preocupei demais com as repercussões finais do que foi explicado aos moradores quanto a prováveis mudanças na cobrança da luz e de outros serviços, uma vez que a posse dos imóveis fosse regularizada, inclusive a fatalidade da cobrança de algum imposto predial pela Prefeitura. Hoje percebo a vantagem da minha destemida ignorância, fator essencial a qualquer empreitada de risco, na favela ou nos negócios em geral. O empreendedor social que fomos nesse episódio tem o mesmo DNA do empreendedor econômico, quando o tamanho do desafio exige um misto de conhecimentos com desconhecimentos, pois saber muito das ameaças potenciais e do risco de insucesso pode bem conduzir à paralisia. Por outro lado, agir sem mapeamento prévio das estratégias diante de um problema tão bem definido quanto possível é caminho seguro para uma monumental trombada no caminho. No nosso caso, foi importante ignorar o fator tráfico, tanto quanto superar o fator governo, como veremos na narrativa mais adiante. O tráfico ficou por conta do Bezerra; para nós era como se não existisse, desde o primeiro dia em que o recém-apresentado presidente da Associação nos afirmara, de cara lavada, não haver nada disso no Cantagalo, e nós fingimos que acreditamos. Em troca, mentimos piedosamente para ele e seus companheiros ao dizer que havia caminhos para resolver a titulação junto ao governo quando não havia caminho algum, senão o que faríamos surgir, ao jeito do poeta, ao longo da caminhada.

A assembleia não se encerrou antes de ser, várias vezes, atalhada por uma mãe de cinco filhos que temia ser expulsa de casa e levou o problema para ser resolvido ali. Em sua angústia fora de lugar, ela não percebia, nem de longe, que não era hora nem lugar de expor seu drama pessoal. Bezerra mais uma vez agiu com sua diplomacia suave, com carinho e firmeza, prometendo tratar do assunto assim que terminasse o tema da titulação. Logo me ficou claro o grau de equívoco em insistir com Bezerra em fazer uma reunião em campo aberto, sujeita à exposição dos problemas e das angústias pessoais de dezenas de moradores, premências muito mais concretas no dia a dia deles do que a distante e confusa quimera de um pedaço de papel "assinado pelo governo". Afinal, que governo? O do tráfico? O da polícia? O da construtora que vinha chegando com seus engenheiros para realizar a obra do PAC após o discurso da recente visita do presidente Lula e do governador Cabral? Qual, entre esses poderes, resolveria a comida na mesa, o barulho do *funk*, o tiroteio de ontem, a carteira de trabalho e a água da chuva correndo por baixo da porta do barraco?

Achei apropriado que Ignez Barretto concluísse a explicação do que estávamos fazendo ali. Já era quase hora do lanche. Era preciso deliberar e votar, para liberar o guaraná com bolo. Ignez é o contraponto da malícia para o bem das abordagens sinuosas de Luiz Bezerra. Fazem o par perfeito de um país escondido, mas poderoso, de brasileiros do bem total, dispostos a sacrifícios sem explicação no plano pessoal, tudo por uma ideia mobilizadora de mentes e corações. Em sua quase absoluta diversidade de caminhos, uma embaixatriz, moradora de Ipanema, que possivelmente nunca andou de ônibus, e um motorista aposentado, do ônibus que ela nunca pegou, ali estavam as duas realidades frente a frente, prontas para dialogar, e muito mais do que isso. Ignez trazia para a laje sua assertividade, com um discurso direto como lança apontada na direção a ser seguida. Ignez deixa as dúvidas em casa quando parte para a luta social. Tem a mesma tranquilidade de Bezerra, só que com muito mais leitura e troca de experiências mundo afora a sustentar-lhe a direção do discurso absolutamente em linha reta, como se traçado pelo teodolito da cultura.

Ao conjunto dessas férteis oposições de planos de vida pode-se atribuir a aprovação unânime do Projeto Cantagalo na assembleia na qual ele nasceu. Bairro e favela caminhando juntos e sabendo se respeitar profundamente. Asfalto querendo entender o morro e este descendo para beijar as pedras portuguesas do calçadão da praia. Convicção e ação. Decisão e persistência. Tecnologia social, erudição jurídica e coragem burra. Missão e visão, sem desvios.

Cada um dos presentes assinou o papel que Mário Azevedo, nosso advogado *trainee*, já tinha preparado com os termos da deliberação que nos dava autoridade para agir. Tínhamos assinado nosso pacto, nossa convenção estava selada, restando realizá-la. Será que o termo da assembleia se parecia com uma Constituição? Seria ele, afinal, um instrumento de poder? Um mandato legitimado pela voz da comunidade? Era preciso testar na prática. A prova do bolo estava em comê-lo.

Era hora do bolo com guaraná.

3

Projeto Cantagalo: arquitetura social e meio de luta política

PAULO RABELLO DE CASTRO

> *"Cuando la legalidad es un privilegio al que sólo se accede mediante el poder económico y político, a las clases populares no les queda otra alternativa que la ilegalidad."*
>
> Mario Vargas Llosa, Prólogo a *El otro sendero**

O poder político se expressa e seu tamanho se mede pela capacidade de interferir, sendo resultado de decisões e ações em instâncias sucessivas, mas não necessariamente hierárquicas, porque também transversais, na estrutura das sociedades modernas, podendo facultar, a quem o exerce, a possibilidade de atuação simultânea em vários planos da vida das pessoas. Um desses planos de vida é o da acumulação de riqueza. Ninguém abre mão de acumular. No máximo, pode transferir o foco da acumulação do

---

* In Hernando de Soto, op. cit., p. XVIII.

plano material e pecuniário para o cultural e espiritual. O mais comum é que o ser humano aspire a uma acumulação mais ou menos equilibrada entre os bens financeiramente tangíveis e as riquezas intelectual e emocionalmente palpáveis.

O Projeto Cantagalo é estruturado em torno do reconhecimento do direito de acesso aos bens fundiários impropriamente adquiridos pelos ocupantes de favelas que não sejam meros locatários de uma posse. A maioria dos moradores do Cantagalo é composta de posseiros vivendo em suas próprias casas. São 77% das residências recenseadas pelo levantamento realizado pelo Projeto.

Situação do imóvel	%
Ocupado pelo proprietário	77
Alugado	11
Terreno	4
Fechado	3
Cedido/emprestado	2
Em construção	2
Total	100

Fonte: Cadastramento IBPS/IA — 2008.

O Cantagalo é uma das favelas mais antigas do Rio. A existência da favela como ocupação informal remonta aos anos 1920. Portanto, a decisão original dos primeiros ocupantes do morro onde hoje vivem 1.485 famílias (dados de 2009) não era, inicialmente, morar "perto do serviço", pois ali não existia Ipanema, como hoje é conhecida, e mal se esboçava uma Copacabana erguida entre grandes dunas de areia. O *homo cantagalensis* foi fixar, inicialmente, um abrigo contra a chuva e o frio, em um barraco feito de reaproveitamentos, bem longe do seu mercado de trabalho. Foi morar no mato, pendurado em uma encosta encilhada entre deslumbrantes cenas de uma lagoa brilhando ao sol e chocantes visões do mar sem fim. Mas o cantagalense teve sorte. O mercado de trabalho caminhou na direção do morro e acabou virando o conjunto de bairros mais badalado do Brasil.

A acumulação de valor na propriedade imobiliária do Cantagalo é, sem dúvida, muito mais obra da sorte do que um planejamento coletivo. Mais providência do Alto do que humana previdência. O caso do Cantagalo não é exceção. Trata-se de uma acumulação muito lenta de valor fundiário, após quase um século de suor e algum sangue derramado na ocupação e defesa do território. Até recentemente, quando da ação deflagrada pelo Instituto Atlântico com a Associação dos Moradores, não havia ocorrido qualquer registro de escrituras de imóveis na ocupação do Cantagalo.* O registro social dessa ocupação está feito apenas na história fragmentada da comunidade, como a construção da capela local pelos moradores, os primeiros mutirões de infraestrutura de acesso e a fundação da associação

---

* Quem chegou mais perto de conceder escritura dos imóveis no Cantagalo foi Leonel Brizola, que, enquanto governador do Estado do Rio, nos anos 1980 e 1990, lançou um programa que não foi adiante, destinado a regularizar ocupações.

local,* a 16 de fevereiro de 1962, mês de folia, quando os dois grandes bairros de Copacabana e Ipanema já envolviam o Cantagalo com sua vibrante e ruidosa população de asfalto e um crescente mercado de trabalho para a população da favela.

O poder de dispor da própria terra ou do seu teto é uma condição do homem livre. Alguém pode até preferir não deter nenhuma propriedade imobiliária, vivendo toda a vida na opção do aluguel. É uma decisão individual. Mas seria violação do direito fundamental prescrito na Constituição federal de 1988 que esse alguém ficasse impedido, por vedação legal, de obter o registro de sua propriedade, embora originalmente adquirida por via informal ou considerada imprópria. Toda e qualquer impropriedade, no princípio aquisitivo da propriedade, deve morrer no tempo. Cessando a impropriedade, subsistirá a propriedade. É a ela que postula o sucessor do *homo cantagalensis*. Por sinal, são muitos os herdeiros diretos desse ocupante original do território do Cantagalo. Cerca de 26% das famílias da favela têm seu direito de posse por herança, ou seja, originariamente derivado da primeira ocupação, segundo o levantamento do Projeto Cantagalo. Outros 4% ainda são ocupantes primários, a maioria deles chegada nas últimas décadas. Os demais residentes de imóveis próprios têm adquirido seu direito em uma transação de compra e venda (40%), em geral documentada, em registro informal em um livro da Associação, embora sem valor legal para efeito de domínio.

---

* A Associação nasceu com o nome de Centro Social Nossa Senhora de Fátima da Favela do Morro do Cantagalo.

Formas de aquisição do imóvel	%
Posse comprada/compra	40
Herança	26
Doação	25
Posse originária	4
Permuta	2
Sem resposta	2
Total	100

Fonte: Cadastramento IBPS/IA — 2008.

Nisso o morro não difere do asfalto. O morro imita o asfalto. A favela se vê como uma transição pessoal e coletiva para a formalidade. A aspiração do morador informal de um dia chegar a uma integração completa com a cidade formal não é característica apenas do habitante do Cantagalo, nem apenas dos residentes de favelas cariocas ou brasileiras. Doug Saunders, jornalista e editor do *Globe and Mail*, prestigiado periódico inglês, acaba de publicar sua pesquisa de campo, durante a qual visitou e colheu depoimentos diretos em vinte comunidades populares, localizadas em cidades importantes do planeta.* Entrevistou pessoalmente, como fizemos também em nossa pesquisa no Cantagalo, os moradores de favelas, assentamentos informais, guetos e aglomerações, conforme se queira chamar a "cidade de chegada" (a *arrival city*, na expressão do autor, que deu nome a seu livro).

---

* Doug Saunders, *Arrival City: how the largest migration in history is reshaping our world*, Londres, Windmill Books/Random House, 2011.

O termo usado por Saunders é particularmente apropriado — e, neste livro, o tomaremos emprestado muitas e muitas vezes para melhor expressar o conceito transitivo da favela — por haver capturado toda a vivência dessas comunidades em uma expressão curta, a "cidade de chegada". Esse termo tão simples quanto definitivo reúne a história comum e o conjunto de aspirações de qualquer residente de comunidade informal mundo afora. Talvez por essa razão Saunders insista tanto em fazer a leitura fenomenológica das favelas do mundo como uma verdadeira estação de transformação de pessoas. Transformação, em geral, para melhor. São, segundo cálculos citados por Saunders, centenas de milhões de indivíduos, ou, de fato, bilhões de pessoas, que terão transitado, até meados deste século XXI, da condição de habitantes rurais para a condição de novos urbanoides, vivendo nas "cidades de chegada" e aguardando a oportunidade de subir degraus de formalização até sua integração definitiva à cidade que ele chama de *core city*.*

Apenas é diferente na hora do exercício do direito que assegura ao morador a proteção e inviolabilidade da propriedade. Aí surge a cidade partida, fraturada entre o estado de direito no asfalto e a situação de fato na favela.

Em sentido essencial, a cidade formal e a favela se aproximam no apelo comum dos moradores de uma e de outra à regularidade das relações econômicas e jurídicas, divergindo, contudo, diametralmente, no direito de acesso a esse estado

---

* "Entre 2007 e 2050, as cidades do mundo absorverão um adicional de 3,1 bilhões de pessoas. A população do meio rural no mundo vai parar de aumentar por volta de 2019 e em cerca de 2050 terá se reduzido em 600 milhões." Saunders, op. cit., p. 22.

de regularidade. O resto do abismo entre favela e asfalto é explicável pelas substanciais diferenças de renda pessoal e familiar, em boa medida acentuadas pelo brutal e permanente desnível entre as possibilidades de progresso dos dois grupos sociais. A estigmatização da favela como "favela" é um componente fundamental do atraso no acesso e da redução da velocidade de integração da favela à cidade formal. Até mesmo certas benfeitorias trazidas para a favela, sem a estratégia de com isso deflagrar e aferir a aceleração do processo de integração do homem favelado à cidade formal, frequentemente resultam em passar a esse homem a mensagem equivocada de que a favela é para ser preservada e perpetuada como favela, portanto vendendo o estigma ao próprio estigmatizado, que deixará de perceber sua missão evolutiva.

A cidade do Rio de Janeiro segue partida porque quer. Nada determina que assim o seja, como um destino selado. Há, sim, um conluio tácito, mas efetivo, contra os destituídos do reconhecimento formal da propriedade. A sociedade dos possuidores de acumulação material não mostra a mínima propensão a apressar os direitos fundiários dos despossuídos de registro formal.

Os governos, por seu turno, também estigmatizam a favela, mesmo quando tentam melhorar sua condição habitacional, com programas voltados para a mera urbanização, inclusive por meio de dispendiosos investimentos sem a indispensável elaboração de projetos de empreendedorismo, definidos e deflagrados pelos próprios moradores. A favela de luxo, a "favelinda", ainda assim é favela. Uma forma de escravização persiste na ação assistencial equivocada, porque paralisante da autodeterminação da vida da favela pelo residente. A ação oficial congeladora de iniciativas pelos próprios moradores dissimula a intenção de governos, inclusive os bem-intencionados, de perpetuar a favela em seu "estado favelado", ou seja, sem a potenciação econômica que deve ocorrer, *necessariamente*, ao longo do tempo, sobre o valor implícito das posses aí constituídas. Tal potenciação do valor da riqueza imobiliária e humana — ou seja, também da riqueza empresarial e cultural — na favela, como "cidade de chegada", pode ser encorajada ou retardada por governos; pode ser acelerada ou travada por políticas sociais e assistenciais. Os acréscimos de valor na favela podem ser alcançados ou simplesmente destruídos por leituras tortas sobre quem é e o que pensa esse morador favelado, o que ele foi fazer na favela e aonde quer chegar com sua família um dia.*

Nosso objetivo no Projeto Cantagalo é, sem dúvida, um meio de luta política, porque voltado para o aperfeiçoamento integral da *polis*.** Esse objetivo de "acelerar, na prática, o processo de reintegração da cidade partida" foi, desde o começo, o mesmo que arremeter contra o muro que segrega os direitos do asfalto do pleno e universal exercício e usufruto desses direitos também na favela.

---

* Parafraseando uma pesquisadora brasileira — Patrícia Mota Guedes —, Doug Saunders ressalta: "Contrariando sua imagem convencional como perdedores numa sociedade capitalista, os indivíduos e famílias que chegam até as favelas e ocupações urbanas são os vencedores da loteria rural-urbana, os melhores entre os melhores de seus vilarejos de origem, os mais bem-sucedidos de um grupo de pessoas altamente motivadas." Saunders, op. cit., p. 47, com minha tradução livre. Patrícia é citada por Saunders em: Patrícia Mota Guedes e Nilson Vieira Oliveira, *Braudel Papers 38: Democratization of Consumption: Progress and Aspirations in São Paulo's Periphery*, São Paulo: Instituto Fernand Braudel, 2006.
** *Polis* é o nome de cidade, em grego, daí o termo política e outros dele advindos

Mirando a cidade partida na sua perspectiva temporal e histórica, objetivamos reconstruí-la como "cidade inteira", sem fraturas nem paredes invisíveis. Nosso grupo de trabalho no Instituto Atlântico começou se autodenominando "Rio cidade inteira", que é como circulamos na internet nosso meio de discussão desde 2007. Há, portanto, aí um desafio de arquitetura social na construção dos acessos à propriedade fundiária.

Alguns desses acessos são de natureza essencialmente jurídica. Sem a lei, como escudo do favelado, não há integração plausível. A verdadeira segurança civil na *polis* emana da vigência de uma só lei para todos. Enquanto não houver uma só lei para todos, muitos se erguerão e farão sua luta política acontecer. Alguns desses somos nós. Buscamos na legislação brasileira os instrumentos legais mais plausíveis para realizar a ponte que transportará o sonho do favelado para a realidade do direito de ser dono. E quando não encontramos ponte alguma, nos atiramos no rio, puxando com os dentes a corda do direito analógico, para mostrar como isso já foi feito em outros lugares da geografia humana e até na longínqua história das sociedades.*

Em sociedades cronicamente excludentes como a brasileira, a construção de qualquer ponte de acesso de uma coletivi-

---

* Na Roma dos imperadores, existia a *praescriptio longi temporis*, direito de um ocupante de boa-fé no território do Império Romano de reivindicar a usucapião — ou seja, a aquisição definitiva de título — de um imóvel do poder público após a decorrência de quarenta anos de posse. No Brasil, a Constituição federal de 1988 impede que o cidadão reivindique a usucapião de imóvel que estiver em qualquer esfera dos poderes públicos, pela extensão de tempo que for, sendo, portanto, mais conservadora do que a lei romana de vinte séculos passados.

dade sempre vira uma forma de luta política. O meio de construir essas pontes de acesso é sempre político e, portanto, gerador de polêmica, quando não de confrontos ostensivos. A estrutura do poder convencional no Brasil é meramente concessiva e reativa: não demonstra estar preparada para ceder um milímetro sequer à postulação da sociedade emergente na "cidade de chegada".

A favela, não só no Cantagalo, é um núcleo emergente, que nasce no mundo inteiro como produto de um deslocamento populacional de proporções gigantescas chamado de urbanização. Nenhum país, entre os países do Terceiro Mundo, realizou a urbanização com a velocidade ocorrida no Brasil. China e Índia, outros dois emergentes de dimensões continentais, ainda estão muito longe de haver atingido o grau de assentamento de massas egressas do meio rural nas cidades.* Devemos admitir que as autoridades que enfrentaram a favelização no Brasil estavam diante de um fenômeno explosivo e de proporções muito maiores do que os instrumentos de reação ou mesmo de compreensão disponíveis. Pelo menos meio século se passou, desde o pós-guerra, sem que o pensamento acadêmico convencional sobre o fenômeno da favela andasse pouco mais do que alguns metros de distância. Tampouco as estratégias públicas disponíveis.

O Projeto Cantagalo se reveste, por essa razão, de uma relevância prototípica. Embora modesto em seu objetivo territorial, o Projeto é um laboratório vivo da revolução social

---

* Doug Saunders, em seu recente e já muito celebrado livro *Arrival City*, reconhece a velocidade do processo de urbanização brasileiro, daí extraindo algumas conclusões interessantes, que observamos no Cantagalo.

que deve ser deflagrada no Brasil inteiro, em várias e distintas dimensões, nas "cidades de chegada" abrigadas em nosso território nacional, cada uma com suas peculiaridades e saídas estratégicas.

Quando visitado pela ótica da legalidade, o Projeto Cantagalo envolve uma batalha jurídica pelo reconhecimento do direito fundiário amplo e irrestrito, embora não incondicionado. Os herdeiros do *homo cantagalensis* não almejam a um direito que não julguem deter *a priori*, mas postulam com vigor ao reconhecimento do direito preexistente e fático, no qual não foram ainda imitidos. Não há privilégio na reivindicação da comunidade do Cantagalo. Não há esbulho ou perturbação de um direito anterior, há muito expirado no tempo. O novo direito está em construção. Não há desordem nessa revolução: pelo contrário, há aí o desejo de construir uma ordem nova, realmente inclusiva e democrática.

A construção desse direito novo nunca ocorre sem luta. Não pode ser outorgado. Precisa ser conquistado, embora com eventual parceria entre o asfalto e a favela. Nesse momento surge a contribuição de uma arquitetura social nova, que busca, nessa parceria, facilitar e encorajar a conquista da favela na cidade formal. A formulação de uma estratégia de ação dotada de princípio, meio e fim no Projeto Cantagalo — portanto, uma arquitetura social específica para facilitar o acesso a um direito — decorre da constatação que fizemos, logo ao início do grupo de trabalho, sobre a dificuldade prática de alcançar a vitória jurídica sem concomitante mobilização social intensa dos moradores do Cantagalo. Admitimos, embora a contragosto, que não escaparíamos da luta política contra a oposição conservadora, encastelada nos códigos sociais e urbanísticos convencionais, ainda que, paradoxalmente, tais burocracias sejam, com frequência, dominadas por um pensamento autorrotulado como de esquerda. Como nossa luta por acesso é pragmática, não ideológica, embora filosófica, precisamos reunir forças sociais expressivas e inteiramente convencidas do seu direito para, só então, marchar com coragem para abrir a frente de luta política, da qual este relato literário também faz parte.

Prosseguimos com a arregimentação da voz mais ampla da opinião pública, normalmente lenta ao se manifestar, pela óbvia razão de que os melhores argumentos políticos, nessa luta, isto é, aqueles que consolidarão a posição progressista que defendemos, ainda não estão inteiramente prontos, fazendo parte da dialética do confronto que deliberadamente propusemos. Esses melhores argumentos em favor da causa integracionista da favela vão sendo acumulados nos diversos confrontos e, nesse sentido, os vencedores, ao final, deverão sua vitória aos conservadores vencidos, da mesma forma que a claridade da luz só é percebida através da lenta passagem da sombra da noite.

O Projeto Cantagalo foi traçado, desde o início, sem a ilusão da ausência de luta e confronto. Isso nos ajudou a não cambalear diante das ameaças veladas ou abertas das camadas burocráticas do asfalto. Sabíamos que haveria reação e houve. Preparamos os argumentos contidos na própria lei do asfalto. Organizamos a unidade da favela em torno do direito novo, especialmente com a arma da informação, circulada pelo jornal da comunidade, cujas edições trouxeram para o morador o passo a passo do Projeto e sua evolução paulatina.* O morador de uma favela permanece como agente central da transformação social em qualquer iniciativa dessa natureza.

É muito fácil projetar, unilateralmente e sem maiores indagações, para dentro da favela os valores da sociedade do asfalto e levar-lhe os recursos e as soluções julgados urgentes pela burocracia. É menos fácil parar para perguntar, antes de fazer qualquer coisa, o que quer e o que reivindica a própria comunidade. Perguntar, tomar conhecimento da outra parte, deliberar em consenso, atuar em conjunto, essas são ações aparentemente mais demoradas e delicadas. Os estamentos do poder burocrático estão mais afeitos às soluções prontas, via de regra portentosas e eleitoralmente vistosas. Há aí uma lição a ser aprendida, que ainda não foi capturada pelos sucessivos planos de intervenção governamental concebidos para melhorar a vida na favela. Nenhum deles faz a conta simples do incremento de valor real de acesso para o morador, trazido com a benfeitoria planejada. Contudo, o remédio social ou urbanístico que não traz acumulação de valor permanente para o pré-cidadão da "cidade de chegada" se torna dispêndio quase inútil na construção da verdadeira cidadania de acesso.

Aprendemos que é sempre necessária a apropriação *privada* do acréscimo de valor estimado na intervenção social dentro da favela. Qualquer ação coletiva de resgate na favela deve

---

* O jornalzinho comunitário *Canto do Galo* foi resgatado da inatividade por meio da dedicada ação de Cláudio Napoleão, morador e líder no Cantagalo, cuja familiaridade com o jornalismo nos facilitou a publicação de quatro edições durante o período mais crítico de implantação do Projeto. Essa iniciativa não pode morrer de novo, estando agora a sustentação dela a cargo do jornalista José Luiz Sombra, da equipe do Instituto.

se orientar pelo objetivo de levar até o morador um ganho palpável e que possa ser apropriado material e individualmente por ele. O valor político de uma arquitetura social de acesso, implantada na "cidade de chegada", sempre se deve medir pelos ganhos econômicos efetivamente apropriados pelo residente envolvido na luta por sua obtenção. Nisso reside o "empoderamento" do pré-cidadão da favela. A titulação da propriedade nos traz um subproduto, que é o poder político construído na luta por sua obtenção, daí resultando um aumento efetivo da capacidade futura de interferência desse mesmo cidadão em todos os planos políticos possíveis, na busca por seus demais direitos fundamentais, ao mesmo tempo que cessa a infantilização do favelado, surgindo sua educação no rumo de compreender que os direitos à titulação vêm acompanhados dos deveres da cidadania e que esses também lhe serão cobrados pela sociedade.

Pesquisa com proprietários de imóveis no Cantagalo — IBPS/IA — 2008

Idade (%)	
Menos de 18 anos	0
De 18 a 24 anos	3
De 25 a 34 anos	21
De 35 a 44 anos	25
De 45 a 59 anos	34
Acima de 60 anos	16
Total	**100**

Sexo (%)	
Feminino	57
Masculino	43
Pessoas jurídicas	0
Total	**100**

Escolaridade (%)	
Analfabeto(a)	3
Até a 4ª série	32
Até a 8ª série	32
Ensino médio incompleto	9
Ensino médio completo	15
Superior incompleto	4
Superior completo	1
Sem resposta	4
Total	**100**

Naturalidade (%)	
Rio de Janeiro	80
Minas Gerais	5
Paraíba	4
Ceará	2
Bahia	2
Outros	5
Sem resposta	2
Total	**100**

Localidade (no morro do Cantagalo) (%)	
Quebra Braço	21
Nova Brasília	19
Igrejinha	13
Buraco Quente	13
Caixa D'Água	11
Terreirão	12
Associação	7
Estrada	4
Total	**100**

Estado civil (%)	
Solteiro(a)	50
Casado(a)	28
União estável	8
Viúvo(a)	7
Divorciado(a)	2
Sem resposta	5
Total	**100**

Utilização (%)	
Residencial	91
Comercial	2
Misto (residencial e comercial)	2
Associação de moradores	0
Igreja	0
Laje	0
POP	0
Terreno	4
Sem resposta	1
Total	**100**

Tempo de moradia da família na comunidade (%)	
De 1 a 5 anos	6
De 6 a 10 anos	5
De 11 a 15 anos	1
De 16 a 20 anos	3
Mais de 20 anos	79
Não mora na comunidade	1
Sem resposta	5
Total	**100**

Número de moradores no imóvel (%)	
Nenhum	5
Um	12
Dois	16
Três	19
Quatro	15
Cinco	10
Seis	6
Sete	4
Oito	2
Nove	1
Dez ou mais	3
Sem resposta	8
Total	**100**

Mais de uma família morando no imóvel (%)	
Não	67
Mais uma família	15
Mais duas famílias	4
Mais três famílias	1
Mais quatro famílias	0
Mais cinco famílias	0
Não mora ninguém	2
Sem resposta	11
Total	**100**

Número de pavimentos (%)	
Um	55
Dois	21
Três	11
Quatro	4
Acima de quatro	2
Sem resposta	6
Total	100

Número de cômodos (%)	
Nenhum	4
Um	3
Dois	6
Três	15
Quatro	22
Acima de quatro	46
Sem resposta	4
Total	100

Abastecimento de água (%)	
Rede regular	94
Não	3
Sem resposta	3
Total	100

Acesso a esgoto (%)	
Rede regular	94
Não	3
Sem resposta	3
Total	100

Formas de coleta do lixo (%)	
Caçamba	69
Coleta regular	23
Não	5
Sem resposta	3
Total	100

Disponibilidade de telefone (%)	
Sim	86
Contato/recado	6
Não	3
Extensão	1
Sem resposta	4
Total	100

Acesso a energia elétrica (%)	
Rede regular (medidor)	75
Irregular	17
Não	4
Sem resposta	4
Total	**100**

Acesso à TV por assinatura (%)	
Não	68
Sim	30
Sem resposta	2
Total	**100**

Acesso à internet (%)	
Não	78
Sim	18
Sem resposta	4
Total	**100**

Preço pago pelo imóvel (%)	
Entre R$ 1.000 e R$ 5.000	28
Entre R$ 6.000 e R$ 10.000	23
Entre R$ 11.000 e R$ 20.000	12
Entre R$ 21.000 e R$ 30.000	2
Entre R$ 31.000 e R$ 40.000	1
Acima de R$ 40.000	1
Não soube	29
Sem resposta	5
Total	**100**

Estimativa de investimento feito no imóvel (%)	
Nenhum	5
Até R$ 1.000	5
Entre R$ 1.000 e R$ 5.000	14
Entre R$ 6.000 e R$ 10.000	13
Entre R$ 11.000 e R$ 15.000	10
Entre R$ 16.000 e R$ 20.000	6
Acima de R$ 20.000	26
Não soube	17
Sem resposta	4
Total	**100**

Valor estimado para o imóvel (%)	
Entre R$ 1.000 e R$ 5.000	1
Entre R$ 6.000 e R$ 10.000	6
Entre R$ 11.000 e R$ 20.000	13
Entre R$ 21.000 e R$ 30.000	12
Entre R$ 31.000 e R$ 40.000	5
Acima de R$ 40.000	29
Não soube	30
Sem resposta	4
Total	**100**

Cadastro na Associação de Moradores (%)	
Sim	81
Não	14
Não soube	2
Sem resposta	3
Total	**100**

Propriedade de mais de um imóvel (%)	
Não	76
Sim, mais um	12
Sim, mais dois	4
Sim, três ou mais	5
Sem resposta	3
Total	**100**

Fonte: Cadastramento IBPS/IA — 2008.
Nota: todas as tabelas contêm aproximações.

4

Polêmica da propriedade: quem tem medo de titular a favela?

RAFAEL MITCHELL*

> *"É tarefa política persuadir a tecnocracia a se remodelar e a apoiar uma mudança."*
>
> Hernando de Soto, *O mistério do capital***

A informalidade como fenômeno na metrópole moderna, a exemplo do que ocorre na maioria das cidades brasileiras, vem mostrando suas facetas no Rio de Janeiro desde o início do século passado, quando, poucos anos após a abolição da escravidão no Brasil, passou a receber imenso contingente de recém-libertos, que buscavam nos centros urbanos acesso ao trabalho e condições mínimas de moradia e sobrevivência.

Desde os primórdios da formação dos assentamentos informais, que se transformaram nas favelas cariocas, in-

---

* Advogado, presidente da Comissão de Direito Urbanístico da OAB-RJ e diretor do Instituto Atlântico.
** Hernando de Soto, *O mistério do capital*, Rio de Janeiro, Record, 2001, p. 238

ternacionalmente conhecidas, tais ocupações tiveram como marcante característica a manifesta segregação social e habitacional, que hoje se pretende transformar. Desde o início do século XX, o Rio de Janeiro — primeiro, como capital da República, em seguida como Estado da Guanabara e, agora, como capital do Estado do Rio — vem absorvendo uma quantidade cada vez maior de famílias migrantes de outros estados e do interior fluminense. Elas chegam para morar em condições precárias, praticamente privadas do acesso aos serviços públicos essenciais, agravando um abismo tido por muitos como insuperável. Mas o desafio tem solução, como evidenciou o Projeto Cantagalo, conduzido por meia dúzia de teimosos e obstinados cidadãos com a ajuda de toda a comunidade.

A omissão do poder público diante do aumento constante das comunidades irregulares, somada à ausência de políticas públicas de controle e fiscalização dessas ocupações, agravou o problema habitacional carioca a um ponto próximo do colapso urbano e social. As legislações urbanísticas e fundiárias confusas, pouco objetivas e extremamente burocratizadas há anos mostram-se incapazes de equacionar o problema. Muito ao revés, as políticas de remoção praticadas na década de 1960, por exemplo, agravaram consideravelmente o problema fundiário e aprofundaram as diferenças sociais oriundas da ausência de projetos concretos para o desenvolvimento, uso e ocupação do solo urbano.

Diante dessa problemática, aparentemente sem solução, a regularização fundiária da propriedade urbana nos assentamentos informais emergiu, no despertar dos anos 1990, como uma alternativa concreta e eficaz para a política pública de desenvolvimento urbano, criando, no âmbito legislativo, consistentes instrumentos de regularização fundiária e inserção social através de programas habitacionais. Contudo, da teoria para a prática, as favelas continuaram crescendo sem qualquer regularização, muito menos a titulação plena da propriedade.

Grande parte dos acadêmicos e profissionais que se dedicam aos temas relacionados ao assunto fundiário nacional e internacional hoje se depara com a questão regulatória metropolitana sob dois diferentes prismas: a *regularização fundiária*, relacionada ao uso e gozo do solo urbano, e a *regularização urbanística*, que diz respeito às condições da habitação e edificação impostas para ordenar o crescimento das cidades; sendo a primeira absolutamente fundamental à implementação da segunda e vice-versa.

Se, do ponto de vista urbanístico, as políticas permanecem confrontadoras e pouco objetivas, a regularização fundiária através da titulação da propriedade, por outro lado, parece ter sido, finalmente, o caminho eleito como programa de desenvolvimento urbano pelo atual Governo do Estado do Rio de Janeiro. Mas fica a torcida para que não se restrinja a um temporário programa de governo e se torne, sim, um duradouro programa de Estado. Quem viveu o dia a dia do Projeto Cantagalo sentiu na pele a força do preconceito da sociedade com ela mesma, como se todos os habitantes de assentamentos irregulares fossem marginais ou bandidos, e que, partindo dessa falsa premissa, e como se conduta social fosse pressuposto de acesso a um direito real, jamais pudessem ter o seu título de propriedade reconhecido.

Pela positivação histórica de importantes temas relacionados ao meio ambiente urbano e sua ocupação, a Constituição federal de 1988 representou um verdadeiro marco na proteção aos direitos fundamentais do cidadão habitante da metrópole, seja ele formalizado ou irregular. O reconhecimento da função social da propriedade como princípio fundamental, na oportunidade, seguiu a linha ideológica que aflorava no final dos anos 1980 e estava diretamente relacionada à retomada do rumo democrático no Brasil. Contando com a participação de mais de 12 milhões de eleitores, foram apresentadas 122 propostas de emendas populares sobre diversos assuntos, dentre eles a participação popular e a reforma urbana.

A intensa participação da sociedade resultou em muitos dos avanços obtidos no campo do urbanismo, sendo o mais importante de todos a criação de um novo ramo do direito oriundo das entranhas do direito administrativo: o direito urbanístico. Através da obtenção de 130 mil assinaturas, o Movimento pela Reforma Urbana conseguiu significativo reconhecimento e a questão fundiária foi tratada com exclusividade no Capítulo da Política Urbana.

A regularização fundiária do solo urbano finalmente ganhou destaque constitucional com a previsão expressa do instituto da *usucapião especial coletiva de imóvel urbano*, que, positivado no artigo 183, estabelece os requisitos objetivos e determina as condições para o reconhecimento jurídico dessa nova modalidade de aquisição originária da propriedade. Diversamente das demais modalidades de usucapião — a ordinária e a extraordinária — a usucapião especial coletiva demanda um prazo de apenas cinco anos de ocupação e não impõe as condições de verificação de boa-fé e justo título.

Consciente dos enormes benefícios econômicos criados pela regularização da propriedade urbana, a Constituição federal de 1988 trouxe também mais novidades, como a fixação da área máxima do imóvel em 250 m² e a exigência de inexistência de outro imóvel urbano ou rural em nome do beneficiário. Tais requisitos objetivos, como se vê, já indicavam a preocupação do poder constituinte com a natural valorização dos imóveis irregulares e a eventual exploração, pelo mercado imobiliário, da fragilidade material de seus ocupantes.

O ano de 2001 também é considerado um grande marco na sedimentação dos mecanismos jurídicos de regularização fundiária urbana como forma de inserção social através da garantia da propriedade. A aprovação e a vigência da Lei Federal nº 10.257/2001, denominada Estatuto da Cidade, representam um dos maiores e mais importantes avanços em termos de produção legislativa em toda a história do Brasil. O Estatuto da Cidade, que completou dez anos em 2011, disciplina diversos instrumentos jurídico-urbanísticos que podem ser manejados tanto pelo poder público municipal quanto pela sociedade. Essa última possibilidade, inclusive, se mostra uma das grandes inovações no âmbito da democratização da terra urbana. A participação da sociedade através da possibilidade de propor medidas judiciais para garantia do equilíbrio do meio ambiente metropolitano, tal como a usucapião coletiva, pode ser considerada como primeiro passo na compreensão de que o problema fundiário não será solucionado apenas pela atuação estatal. É fundamental que a sociedade seja protagonista desse assunto, pois, no final das contas, ela assumirá todas as consequências das políticas de desenvolvimento urbano, sejam corretas ou não.

Até então, no entanto, o Estado vinha praticando uma regularização frágil e precária das terras ocupadas informalmente, através da aplicação usual de instrumentos de intervenção urbanística, tais como a CDRU (Concessão do Direito Real de Uso), criada em 1967 pelo Decreto-Lei nº 271, e a Cuem (Concessão de Uso Especial para Fins de Moradia), regulamentada pela MP nº 2220, de 2001.

Esses instrumentos foram criados com objetivo de preencher uma lacuna existente no ordenamento jurídico brasileiro no que diz respeito à função social da propriedade estatal, pois, de acordo com a própria Constituição federal de 1988, as terras públicas não são passíveis de ser usucapidas pelo cidadão. É notório o estado de abandono de imensas terras do Estado, restou evidente a necessidade de um instrumento legal capaz de garantir que esses imóveis pertencentes ao poder público, em qualquer esfera, inclusive a federal, também cumprissem sua função social, e não somente as propriedades particulares.

A principal limitação de instrumentos de regularização fundiária, como a CDRU e a Cuem, é o fato de não transferirem a propriedade plena da terra ao habitante que a ocupou. Reconhecem esses instrumentos, tão somente, a simples posse do morador, necessariamente de baixa renda, sem lhe oferecer qualquer garantia ou alternativa de permanência definitiva, além de serem situações sujeitas a revogação, a qualquer momento, ao bel-prazer do governante. Não há na CDRU ou na Cuem qualquer garantia ao devido processo legal ou direito constitucional ao contraditório e à ampla defesa.

Ou seja, a insistente aplicação desses instrumentos limitados e restritivos de regularização fundiária, na prática, significa que a área ocupada continua a pertencer ao Estado. Diante da obrigatoriedade do cumprimento da função social da propriedade, o Estado até permite, às comunidades habitantes, a simples manutenção da posse sobre as terras em que vivam, sem, no entanto, assegurar o acesso dessa população aos serviços públicos básicos e mantendo o cidadão eternamente dependente da política de desenvolvimento urbano de ocasião. Muito pouco, frise-se, para modificar o grave quadro social e fundiário nacional.

A garantia da segurança habitacional é fundamento da democracia. Sem ela, o cidadão não se sente parte integrante da cidade e dificilmente contribuirá para o seu crescimento ordenado.

A dificuldade de compreensão, quanto ao alcance de cada instrumento legal, por parte dos agentes do poder público, responsáveis pelas políticas fundiárias, principalmente em relação ao estágio de maturidade da comunidade do Cantagalo, para se tornar um novo bairro da cidade do Rio de Janeiro, está diretamente relacionada à descrença da máquina estatal quanto à imensa vantagem de inserção e valorização das comunidades carentes no mundo formal. É como se o agente do poder público tivesse medo do avanço dos direitos mais amplos da cidadania, desconfiando da capacidade do indivíduo de bem manejar sua própria liberdade, seus direitos e deveres conquistados com a titulação ampla do solo. O sentimento demonstrado pelos representantes dos órgãos responsáveis pela confecção, aplicação e desenvolvimento das políticas urbanísticas e fundiárias no estado, sobretudo quanto à titulação da propriedade como instrumento de integração social e valorização do cidadão, era de um medo sem fundamento lógico. Puro receio. Mas medo de quê? Quem tem medo de titular o pobre e o favelado? Nossa visão mais arrojada acabou provocando a celeuma inevitável em torno da titulação.

Desde o início do trabalho voluntário em busca da titulação da propriedade como garantia do acesso à cidadania, ficou claro para nossa equipe que havia um profundo sentimento de conformismo e resignação dos agentes públicos com o aumento constante das favelas e a ausência de capacidade técnica para resolver o problema. Ao serem dados os primeiros passos do Projeto Cantagalo, com as buscas pelos registros das terras daquela comunidade, através das matrículas dos imóveis confrontantes, logo percebemos que, ao contrário de termos concordância e apoio do poder público, esse poderia ser o nosso grande obstáculo. E foi. A insegurança nos registros de propriedade, que gera os igualmente graves problemas fundiários que hoje assolam a região nobre da Barra da Tijuca, é exatamente a mesma que impede a aplicação dos instrumentos de regularização fundiária urbana na maioria das favelas da cidade.

Ao longo do processo de busca pela titulação da propriedade das terras habitadas pela comunidade do Cantagalo, restou evidente, também, que, em virtude da profundidade abissal que alcançou o déficit habitacional e a ausência de programas de regularização fundiária urbana, seria necessário que a sociedade por si mesma bancasse esse novo modelo de crescimento urbano integrado e não tivesse medo de assumir o custo social inerente à mudança de rumo. A sociedade carioca, por mais conservadora que possa parecer, não pode temer a mudança diante de tão grave quadro. Afinal, a solução de problema tão complexo não poderia surgir ao simples toque da varinha de condão estatal. A solução para a questão fundiária urbana demanda um grande esforço da sociedade, sobretudo porque a culpa pela omissão estatal e pelo desordenado crescimento das favelas também é dela, quando exige pouco de seus governantes, mas se sente normalmente confortável para encher a boca e se dizer indignada com a péssima produção legislativa nacional, quando, na maioria das vezes, nem sequer se lembra em quem votou nas últimas eleições.

O problema das favelas cariocas é de todos. Dos que nasceram quando elas começaram a se formar, há mais de um século, àqueles que nem sequer abriram os olhos ainda, mas seguramente pagarão esse custo social da ausência de mudança, no futuro. Não há resposta para um problema tão profundo que não tenha um preço a se pagar. É imperativo afastar os medos e avançar.

Não precisamos temer o novo modelo de regularização com titulação ampla e irrestrita. Ao contrário, devemos incentivá-lo para que a cidade ganhe alternativas ao continuísmo e à despreocupação com as políticas fundiárias mal promovidas.

Mais do que tudo, é urgente cobrar aparelhamento técnico do Estado e a valorização dos quadros do funcionalismo, onde muita gente boa é desperdiçada, desde o controle na aplicação dos recursos até a manutenção da fiscalização em todas as etapas de implantação de um projeto dessa natureza. No entanto, há um preço talvez mais difícil de pagar, porque não diz respeito aos costumeiros desvios públicos e esquemas de corrupção que voltam a concentrar a renda no bolso dos grandes agentes, mas está relacionado à conscientização de toda a sociedade sobre a importância do reconhecimento da propriedade dessas comunidades como forma de integração social.

Por isso, o receio da outorga dos títulos de propriedade não é sentimento exclusivo dos agentes públicos diante da falta de dispositivo legal expresso. Apesar da fantástica oportunidade de alavancar o crescimento social dos cidadãos cariocas e promover um correto e integrado desenvolvimento urbanístico da metrópole, através dos processos de regularização fundiária e urbanística, ainda é preciso superar o preconceito que resiste, sobretudo, quanto aos benefícios e aos beneficiários desse necessário processo de garantia da democracia e correção de séculos de injustiça fundiária. Muitos mencionam, equivocadamente, a gratuidade como característica desses benefícios inerentes à segurança da propriedade em comunidades carentes, quase esquecendo que a solução dessa questão demandará esse pequeno custo social, seja em razão do simples e egoísta ciúme pelo benefício aparentemente exclusivo do "favelado", até o periódico aumento da violência urbana oriundo do contingente "abandonado" pelo tráfico e que não encontra, ainda, saída dentro do mercado de trabalho.

Não se trata, contudo, de favor praticado pelo Estado na titulação da propriedade urbana, pois a verdade é que, por mais que existam instrumentos urbanísticos e fundiários, sempre haverá a necessidade da participação conjunta do estado e da sociedade, principalmente porque o avanço indiscriminado das favelas cariocas se deu em razão do movimento unilateral dos habitantes metropolitanos, que ocuparam indistintamente as encostas dos morros e ali fincaram suas raízes, sempre contando com a omissão estatal.

Para buscar um caminho diferente é necessário pensar diferente. E foi isso que fez esse grupo de entusiasmados cidadãos, cujas ideias hoje se tornaram realidade. Ao apresentar ao Estado um lado da moeda, jamais nos constrangemos, tecnicamente, diante da impossibilidade de usucapião de terras públicas. Mas, por outro lado, foi preciso reconhecer que não havia qualquer dispositivo que impedisse o próprio Estado de transferir, ele mesmo, a propriedade de terras públicas para fins de regularização fundiária habitacional. Ou seja, a ideia "diferente" que apresentamos à autoridade estadual era, no final das contas, até simples: ainda que o cidadão, habitante de assentamentos não regularizados, não tivesse o direito positivo de exigir do Estado o reconhecimento de sua propriedade de forma originária, pelo decurso do tempo, poderia o Estado, por sua vez, transmitir a propriedade de terras públicas para fins de regularização fundiária habitacional, se assim entendesse melhor para o desenvolvimento urbano.

Sem medo de ser feliz e de fazer feliz a sociedade carioca.

5

Ganhando mentes e corações: o papel da liderança comunitária

IGNEZ BARRETTO*

"Das Gesetz muss aus dem Gendanken des Volkes gesprochensein."

Eugen Huber, reformador social suíço**

A relação entre os moradores das comunidades caren-tes e os dos bairros no entorno dessas sempre foi permeada por sentimentos contraditórios e ambíguos. Nos moradores das comunidades existe o sentimento muito complexo de pertencimento e não pertencimento. Por uma parte, aquele é o seu lugar de moradia e muitas vezes de nascimento. Por outro lado, está sempre presente a sensação de não pertencimento. Não pertencimento porque as favelas são lugares de moradia que, efetivamente, não pertencem àquelas pessoas e também, por não pertencer efetivamente, não contam com os serviços e infraestruturas necessárias para que alguém te-

---

* Coordenadora do Projeto de Segurança de Ipanema e empreendedora social.
** Antigo ditado alemão. Em tradução livre, "A lei deve ser falada pela boca do povo", conforme citação em *O mistério do capital*, op. cit., p. 202.

nha orgulho de chamar aquele lugar de seu. Fica, dessa forma, uma relação de quem, por um lado, ama e, por outro, não se sente realmente autorizado a ali estar e usufruir.

Por sua vez, os moradores dos bairros limítrofes com as favelas têm também as suas angústias existenciais a respeito dessas comunidades. O primeiro sentimento que vem à tona é o de que aquelas pessoas que moram nas comunidades são invasores de seu espaço. Por outro lado, existe também a genuína compaixão, diante da patente desigualdade, que faz com que umas tenham direito às suas casas, com todos os benefícios obtidos pelos serviços prestados pelo pagamento dos impostos, e outros cidadãos que, embora pagando todos os impostos embutidos nos preços dos produtos, por não pagar os outros, incidentes sobre a propriedade, ficam sem direito a nenhum tipo de benefício associado às suas moradias, que caracterizaria a condição cidadã de cada um de nós. Não é agradável, nem para os cidadãos dos bairros regulares e muito menos para os que morem nas comunidades carentes, esse relacionamento recheado de contradições.

No Rio de Janeiro estamos convivendo com essa situação esdrúxula por mais de cem anos, sem conseguir, com eficiência e objetividade, uma solução adequada e uma política habitacional sustentável e duradoura. Após a década de 1970, a relação entre os dois lados da sociedade ficou ainda mais tensa com o advento ostensivo do tráfico de drogas, que encontrou nessas comunidades, desprovidas de qualquer regulamentação, o ambiente propício para ali se instalar e dali espalhar seu terror pela cidade. Nos bairros formais, o medo se estratificou, e nas comunidades, suas populações ficaram reféns dos marginais. O medo vi-

vido de maneira diversa, porém sempre o mesmo medo, passou a fazer parte do dia a dia de todos.

Há mais de quarenta anos vem se tentando — muitas vezes, com políticas populistas que, por esse exato motivo, acabam não dando certo — uma solução para o problema das favelas, que tiveram um aumento muito maior do que o restante da cidade formal. Essas soluções nunca ousaram enfrentar o problema na sua origem. Sempre se optou por levar beneficiamentos vários, de modo a melhorar a qualidade de vida das pessoas que vivem nas favelas, sem, contudo, ir ao cerne da questão, que é a propriedade fundiária que dá aos donos dos imóveis, pagadores de seus impostos, a autoridade necessária para que exijam do poder público os serviços condizentes. O resultado dessas políticas é, via de regra, perverso, porque diverso e até antagônico ao objetivo pretendido. Lembro um exemplo. O programa Favela-Bairro no Rio de Janeiro, que não transformou uma favela sequer em bairro verdadeiro, é a prova mais contundente. Ninguém pode ser contra as melhorias advindas desses tipos de programas, mas podemos, sim, e devemos, exigir que uma vez que se gasta dinheiro público em melhorias, que se faça, então, o dever de casa completo, isto é, a efetiva regularização fundiária e urbanística das favelas. Só dessa forma uma favela acabará se transformando em bairro, virando parte da cidade formal.

A ideia de regularização é muito antiga e uma aspiração de todos os políticos sérios que já passaram pelo governo, ao longo dos muitos anos da existência do problema. O conceito de regularização não surgiu apenas como proposta do Projeto de Segurança de Ipanema, nem do Instituto Atlântico, nem da Associação dos Moradores do Cantagalo. Nasceu antes disso. Simplesmente, desde que foi anunciado que o PAC iria gastar 35 milhões de reais em obras no Cantagalo, ficou evidente para todos que o efeito dessas benfeitorias em favelas como a Rocinha, onde o programa Favela-Bairro deflagara um crescimento desordenado de mais 25% sobre a área antes ocupada, não poderia se repetir no Cantagalo. Com obras fantásticas, como o elevador panorâmico, a estação de metrô logo embaixo, abertura de vias de acesso que permitirão a circulação de viaturas de grande porte, como ambulâncias, coletores de lixo e entregadores de eletrodomésticos, aconteceria, fatalmente, uma explosão da densidade populacional no morro do Cantagalo. Afinal, quem não desejaria vir morar em Ipanema, com linda vista para o mar, infraestrutura completa, dentro do melhor ponto de trabalho da cidade e, ainda por cima, sem pagar impostos sobre a moradia?

Verificada a necessidade urgente de se levantar a bandeira da regularização, que, aliás, desde o seu início, foi vista como um piloto, uma experiência que, se bem-sucedida, poderia ser repetida em outras comunidades do Rio e do Brasil, o PSI, o Instituto Atlântico e a Associação de Moradores do Cantagalo arregaçaram as mangas e fomos ao trabalho.

À exceção dos problemas técnicos que se apresentaram, como a questão jurídica aí envolvida e os levantamentos topográficos da favela, percebemos, desde o começo, que a participação das comunidades, tanto do bairro quanto do morro, seria de fundamental importância para o bom sucesso do nosso trabalho.

É ilusão pensar que as duas populações, alteradas e abaladas, há tanto tempo, numa grande tensão de sentimentos contraditórios, abraçariam, sem receios nem dúvidas, qualquer proposta nova, por mais interessante que pudesse parecer. De um lado, havia o interesse em buscar caminhos alternativos a tudo que antes não dera certo. Mas, por outro, havia a insegurança quanto à mudança de uma realidade corrente que, se ruim, pelo menos era conhecida. A tendência de todo ser humano é sempre ser um pouco avesso às inovações, mesmo que elas sejam percebidas como necessárias. Foi preciso ir com muito tato e delicadeza — aos poucos — fazendo com que as populações pensassem no caso e fossem aceitando paulatinamente a ideia da regularização como propiciadora de uma transformação sustentável.

No Cantagalo, contamos com a incrível liderança de Luiz Bezerra, presidente da Associação de Moradores. Os moradores do morro, talvez cansados de tantas promessas, nunca cumpridas, no princípio também desconfiaram daquelas pessoas que estavam ali, se apresentando junto ao presidente da associação comunitária, para tentar trazer um benefício novo e uma mudança aparentemente tão profunda em sua organização social. É claro que muitos se perguntaram qual seria o interesse por trás da generosa oferta de parceria entre o bairro e a favela. Foram inúmeras reuniões, assembleias de moradores do Cantagalo e todo tipo de pregação possível. Era preciso convencer, de fato, aquelas pessoas de que seriam as grandes beneficiárias da mobilização e que, afinal, sempre almejaram o título de propriedade. Muita saliva foi gasta até que, aos poucos, os moradores fossem baixando suas defesas e, a partir daí, passassem a colaborar muito profundamente para o bom andamento do projeto comum.

Em Ipanema, a tarefa de convencer, motivar e mobilizar foi um pouco mais complexa. Uma parte dos moradores do bairro via a regularização como uma espécie de perda ou prejuízo, na medida em que não teriam tido o poder de tirar a favela de seu bairro, esquecendo-se, porém, de que o bairro e a cidade formal, através dos anos, haviam sido complacentes e omissos diante da ocupação. Outro argumento contra a titulação lembrava que os moradores da favela não iriam querer arcar com os impostos relativos aos novos serviços que iriam receber. Durante os quatro anos, desde o começo do Projeto Cantagalo, o PSI fez dezenas de reuniões quinzenais com os moradores do bairro, sempre batendo na tecla da regularização e colocando os participantes do PSI totalmente a par do andamento do projeto, relatando os resultados de cada pesquisa, mostrando-lhes uma realidade nova — o Cantagalo — que, embora vizinha deles, lhes era totalmente desconhecida.

Também enfatizamos bastante a questão do gasto de dinheiro público, portanto deles próprios, em diversos programas sem que a solução para a favelização da cidade fosse, nem de longe, vislumbrada. Ajudou também nesse projeto o fato de Ipanema sempre ter sido um bairro inovador, onde surgiram a bossa nova e outros diversos movimentos culturais importantes. De repente, o bairro se sentiu, de novo, voltando às origens. Muito interessante que o Projeto Cantagalo, ao final e ao cabo, acabou mexendo com o ego coletivo do bairro e acabou aumentando não só a autoestima dos moradores do morro como, principalmente, dos de Ipanema.

A inauguração do grande elevador panorâmico de acesso da Rua Teixeira de Melo ao primeiro estágio do morro do Cantagalo e a abertura ao público da estação de metrô General Osório aproximaram ainda mais o bairro da favela. Ipanema virou uma espécie de irmã do Cantagalo. Hoje é muito comum ver os moradores de Ipanema, com orgulho, irem mostrar aos seus visitantes a maravilhosa vista do alto do morro pelo elevador de acesso comum, tanto para os moradores do morro como para os visitantes do asfalto. É claro que seria impensável falar no entrosamento das duas populações sem nos referirmos à atuação da UPP (Unidade de Polícia Pacificadora) presente, desde o final de 2009, no perímetro do Cantagalo e vizinhanças de acesso. A UPP trouxe a pacificação da favela, livrou-a do domínio dos traficantes, ao mesmo tempo que deu à população de Ipanema a possibilidade de ir e vir dentro de seu próprio bairro, compreendendo, nesse, a área do Cantagalo. Diversas pendências, antes insolúveis ou de muita dificuldade de contemporização, como o barulho dos bailes *funk* ou dos cultos nas igrejas, ou o problema do lixo atirado das encostas, que trazem problemas sérios tanto para o bairro quanto para a favela, estão tendo uma possibilidade de discussão e fazendo com que as duas populações possam se sentar e discutir suas soluções em conjunto. É muito interessante observar que todo o trabalho vai convergindo para um mesmo ponto. As UPPs não têm o objetivo de regularizar o espaço urbano, mas é a regularização que vai dar sustentabilidade à ação pacificadora. "Não é um policial na entrada de cada morro", como bem disse o secretário Beltrame,*

---

* José Mariano Beltrame, secretário de Segurança Pública do Estado do Rio de Janeiro, tem sido diretamente responsável pela implantação das UPPs, que revolucionaram a situação do controle social nas favelas onde o serviço ficou disponível. Beltrame afirmou, em evento do Projeto Cantagalo ao qual compareceu, que a segurança civil garantida pela obtenção do título da propriedade pelos moradores do Cantagalo "(...) é a verdadeira e única segurança, em última instância", dessa forma complementando e dando sustentação à paz armada trazida pelas UPPs.

que vai assegurar a paz numa comunidade. É necessária e fundamental a regularização fundiária e urbanística para que a comunidade, agora dona de seu pedaço, passe a cobrar do poder público os serviços decorrentes dos impostos pagos, incluindo entre eles a segurança pública, a iluminação das ruas, a coleta de lixo, o policiamento, a fiscalização etc.*

Nossa experiência individual e coletiva, como grupo de trabalho, tem sido muito rica.** No Brasil, infelizmente, temos pouca vivência de ações comunitárias, de mobilização da sociedade na busca e na demanda de seus direitos mais básicos. Há uma regra que nunca falha: quando há seriedade, muito pode ser feito, como nos mostra o Projeto Cantagalo. Devemos ser o primeiro caso de sucesso de uma ação de mudança de paradigma de política pública que nasce a partir da iniciativa de base de duas populações inicialmente estranhas entre si — asfalto e favela — e quase, diria, antagônicas em seus objetivos. O Projeto Cantagalo vai significar a transformação de uma realidade urbana que há muito exigia essa solução e, o mais importante, o movimento tendo brotado de dentro da sociedade para fora. Em geral, o processo é ao contrário: governos percebem uma demanda política ou social e vão ao encontro dela de acordo com os interesses dele, governo. Às vezes, esses interesses são coincidentes com os da po-

---
* Diversas organizações não governamentais têm sido de grande ajuda, e gostaria de ressaltar, em especial, a atuação da Entrelaces, especialmente de Monica Garcia.
** O Projeto Cantagalo está sendo, na verdade, um trabalho conjunto no qual o grupo original — PSI, Instituto Atlântico, Associação de Moradores do Cantagalo, escritórios de advocacia Souza, Cescon e Gorayeb & Mitchell — recebeu a adesão de outras entidades, como a Associação dos Cartórios de Registro de Imóveis do Estado do Rio de Janeiro e a escola Solar Meninos de Luz.

pulação e significam avanços sociais, econômicos e políticos. Mas a sociedade não pode ficar a reboque das boas intenções ou acertos eventuais de governos. O comando da ação social e política deve estar com ela, que tem de sinalizar para onde são necessárias as intervenções do poder público. Só dessa forma é que a mudança se faz profunda e definitiva. A regularização do Cantagalo e sua transformação em um bairro organizado, com todos os deveres e todas as obrigações vigentes em todos os bairros formais, devem servir de exemplo para o restante da cidade e do país.

E, sobretudo, que o país comece a perceber o papel e a imensa força da sociedade organizada, com seriedade e eficiência, quando essa passa a ser mobilizada por líderes entusiasmados e engajados, como tivemos e temos no Projeto Cantagalo. Em parceria com as organizações institucionais, cabe à sociedade ser o grande motor de avanços e desenvolvimento, nos próximos anos, neste país.

6

O passado ensina: de Canudos ao Cantagalo

José Luiz Sombra*

> *"Na verdade, marginal é a legalidade; a extralegalidade tornou-se a norma."*
>
> Hernando de Soto, *O mistério do capital***

Esta história começa, com certeza, há mais de um século, quando soldados brasileiros, que voltavam da guerra de Canudos, sem ter onde apear, foram parar no já habitado morro da Providência, no Centro do Rio. Nos campos de batalha, eles tinham montado rancho numa região amorrada, denominada "Favela", nome de uma planta resistente, que causa irritação à pele humana. Não passou muito tempo e o morro da Providência já estava sendo chamado de Favela, cheio de barracões de madeira e casebres.

Poucos anos antes, outro grupo de soldados já tinha obtido licença do governo para ir morar no morro de Santo Antô-

---

* Jornalista, professor e consultor de comunicação do Projeto Cantagalo.
** Op. cit., p. 42.

nio, também no Centro da cidade. Daí, o resto foi um pulo: tudo passou a ser chamado de favela e seus moradores, pouco a pouco, foram sendo associados à violência e criminalidade no Rio de Janeiro.

Em julho de 1909, o extinto *Correio da Manhã* publicava reportagem sobre o morro da Favela, que, nos dias de hoje, voltou a se chamar Providência, afirmando: "É o lugar onde reside a maior parte dos valentes da nossa terra e que, exatamente por isso — por ser o esconderijo de gente disposta a matar por qualquer motivo ou, até mesmo, sem motivo algum — não tem o menor respeito ao Código Penal, nem à Polícia, que também, honra lhe seja feita, não vai lá, senão nos grandes dias do endemoninhado vilarejo." O estigma da favela já estava presente no início do século passado.

Desde então, o "bota-abaixo" e a construção de novos barracos em mais lugares foi uma constante na cidade do Rio, com vantagem de sobrevivência para os habitantes do morro da Providência, por se situar numa colina. Mas a favela era considerada um problema de saúde pública e de segurança.

Paralelamente, o Rio de Janeiro começava a mudar e a se "europeizar". Quando a Avenida Central (atual Avenida Rio Branco) foi criada pelo prefeito Pereira Passos no início do século passado, quem morava no Centro, em cortiços, não teve muita opção: ou ia para os subúrbios ou subia os morros. Esse conceito arcaico de modernidade implicou a demolição dos morros do Castelo, do Senado e de Santo Antônio. Os argumentos dos sanitaristas e arquitetos da época conferiram legitimidade à proposta de promover a "limpeza urbana".

O então morro da Favela era denominado "aldeia da morte". Segundo o *Correio da Manhã*, lá moravam pessoas sem qualquer vigilância da Polícia "por lhe parecer que essa gente não tem deveres nem direitos em face da lei". Para variar, ontem como hoje, a intelectualidade tinha outro olhar. Europeus e brasileiros, como Oswald de Andrade (1924), subiam o morro da Favela para, entre outras constatações, destacar fatos estéticos, sobretudo os "casebres" e os novos símbolos nacionais.

Já em 1920, as favelas foram consideradas, de algum modo, em planos urbanísticos. Um deles, o do francês Alfred Agache, falecido em 1959, previa o seu desaparecimento. Ele justificou o fim das favelas "não só sob o ponto de vista da ordem social, como sob o ponto de vista da higiene geral da cidade, sem falar na estética". Enquanto Agache se referia às favelas como "lepras" e "chagas", o compositor José Barbosa da Silva, o Sinhô, escrevia os seguintes versos sobre o morro da Favela: "Minha cabrocha/ A Favela vai abaixo/ Quantas saudades tu terás deste torrão/ Da casinha pequenina de madeira/ Que nos enche de carinho o coração."

Era Vargas

Mas o projeto do francês foi arquivado e, com a Revolução de 30, que levou Getúlio Vargas ao poder, houve uma trégua da cidade formal em relação à sumária eliminação das favelas. Em 1937, foi baixado o Código de Obras da Cidade do Rio de Janeiro, o primeiro instrumento oficial sobre o assunto. O código deixou bem claro que as favelas eram provisórias. A partir daquele momento, os poderes públicos se responsabilizariam por conhecer melhor e controlar as favelas. Para Getúlio, o importante era o embelezamento e grandes monumentos para a cidade.

Era o momento da remoção dos favelados para parques proletários, o que aconteceu na década de 1940. O que ficava bem claro era — ou continuava a ser — acabar com aquilo que era percebido como um incômodo para a cidade. Lotes na periferia foram oferecidos pelo governo a preços e juros baixos, a perder de vista. Nem por isso a favela parou de crescer.

Em 1940, um trabalho da assistente social Maria Hortência do Nascimento Silva, sobre as favelas, dizia: "(...) enquanto alguns se compenetram da gravidade do problema e procuram remediar a situação desses desgraçados, os cronistas se encantam pelo morro e o enaltecem... Será que do malandro querem fazer uma personalidade e do samba um hino nacional?" No plano cultural, Getúlio, o "pai dos pobres" não tinha dúvidas. Apesar de reprimir a expansão da favela, o presidente achava não ser preciso ir tão longe na crítica aos valores simbólicos. E, incentivada pela autoridade, a navalha do malandro foi substituída no imaginário popular pelo pandeiro, violão e cavaquinho.

Durante o Estado Novo, foi lançada a primeira política habitacional para as camadas mais pobres da população urbana. Entre 1942 e 1943, foram inaugurados os parques proletários na Gávea, no Caju e no Leblon, que abrigaram cerca de oito mil pessoas, oriundas de quatro favelas. Mas havia controle: além da exigência de atestado de bons antecedentes, os moradores possuíam cartões de identificação.

O grande problema, que não acabava nunca, para desespero dos governos, é que as décadas de 1940 e 1950 foram marcadas por fortes movimentos migratórios para a capital da República, como de resto, para a cidade de São Paulo e outras capitais regionais, com origem, principalmente, do meio rural nos estados nordestinos. A sedução era o acesso a bens de consumo, emprego e o sonho (ou a ilusão?) de uma vida melhor. Onde essa gente toda iria morar, isso ninguém era capaz de responder.

O fim da ditadura Vargas (1945) marca o início da "guerra fria" nas favelas e nos parques proletários, com três forças envolvidas: a Igreja, através da Fundação Leão XIII (criada em 1946), a Prefeitura do Rio e o PCB (Partido Comunista Brasileiro), interessado na organização social e na massa de manobra política dos habitantes das favelas.

Essa situação gerou, nos anos 1950, o interesse de outras instituições oficiais e privadas, inclusive de favelados. Nessa época surgiram novos conjuntos habitacionais, entre eles a emblemática Cruzada São Sebastião (1955), em pleno Leblon. Pela primeira vez era construído um conjunto para moradores pobres perto do local onde já moravam e trabalhavam. O que estava em questão, porém, além da parceria Igreja-Estado, era a política assistencialista. À frente dessa iniciativa da Prefeitura surgia o Serviço Especial de Recuperação das Favelas e Habitações Anti-Higiênicas (Serpha), criado em 1956.

Era Lacerda

Nos anos 1960, durante o governo de Carlos Lacerda, o primeiro do então novo Estado da Guanabara, que vai de 1961 até 1965, a palavra de ordem era remoção das favelas para a renovação urbana da cidade. O dinâmico governador redefine a atuação do Serpha, desvinculando-o da Igreja Católica, e começa a Operação Mutirão, com o objetivo de ver que tipo de cooperação poderia haver entre Estado e favelas.

A Companhia de Habitação (Cohab), criada em 1962, era um conceito original naquela época e tinha verbas públicas amplas quando deu início à construção de conjuntos habitacionais a baixo custo. Já como jornalista em 1948, Carlos Lacerda defendia essa posição em uma campanha que liderava pela imprensa, denominada "A batalha do Rio". E assim foi feito. As populações faveladas de várias comunidades (do Pasmado, por exemplo) foram removidas para sítios distantes das zonas central e sul da cidade. Paralelamente, tentava-se cooptar a representação dos favelados — a Federação das Associações de Favelas do Estado da Guanabara (Fafeg), criada em 1962.

Era Negrão

Em 1966, já no governo de Negrão de Lima, com a criação da Companhia de Desenvolvimento de Comunidades (Codesco), uma mudança política importante tomou forma, sinalizando para o reconhecimento dos direitos da população favelada e de baixa renda em seus próprios locais de assentamento. Começou-se, finalmente, a pensar na integração da favela à cidade formal. O diferencial era notável: *a manutenção dos favelados no lugar onde moravam e a importância da regulamentação da posse da terra*. Mas os reassentamentos não pararam: parceria entre a Cohab e o governo de Negrão de Lima resultou na remoção de 114 favelas no período.

A partir de 1968, sob influência dos governos militares em Brasília, esse movimento de reconhecimento de direitos foi sendo esvaziado com a criação da Coordenação de Habitação de Interesse Social da Área Metropolitana do Rio de Janeiro (Chisam), que operou até 1973. Seu objetivo era um só: extinguir as favelas, já então organizadas em torno da Fafeg.

É dessa época o samba de Zé Kéti: "Podem me prender/ Podem me bater/ Podem até deixar-me sem comer/ Que eu não mudo de opinião/ Daqui do morro/ Eu não saio não." A música deu nome a um show, "Opinião", que fez muito sucesso, apesar da repressão política e da censura instauradas em 1964. Entre 1962 e 1974, cerca de 140 mil pessoas foram removidas. O binômio com o qual a autoridade pública trabalhava era: "pobreza igual a violência". Ainda não estava em pauta na área de política social a discussão da desigualdade e da distribuição da renda.

Devem ser destacadas as diferenças de atuação entre a Codesco e a Chisam: enquanto a primeira acreditava na capacidade de organização e de participação dos favelados, a segunda via as favelas como um espaço urbano "deformado", habitada por uma população marginalizada que não tinha acesso aos serviços públicos porque não queria pagar impostos. O asfalto passou a ser o "mundo da ordem" e a favela, "o mundo do caos". Enfim, a supremacia do poder público, como origem e fim, em si mesmo, das soluções adotadas.

Era Klabin

Em 1972, apesar da ditadura, um congresso da Fafeg, reunindo 79 associações de moradores, cobra do governo a urbanização das favelas. A repressão foi forte e deixou sequelas. Novas políticas oficiais são implementadas, só que agora, com foco no incentivo à autoconstrução, uma forma de reduzir bastante os custos da política habitacional.

No Rio, o prefeito da época, Israel Klabin, ratificou essa proposta. A remoção entrou em baixa. No final da década de 1970, o Rio de Janeiro foi a primeira metrópole a adotar mecanismos participativos na administração da política habitacional. Importante lembrar que, na virada dos anos 1970 para 1980, o país entrava em colapso financeiro, com elevada dívida externa e altos preços pagos pelo petróleo importado, já que a produção doméstica mal chegava a 20% do consumo.

Era a crise de empobrecimento geral, especialmente do proletariado. O desemprego se generalizava nas cidades. Essa crise da macroeconomia despejou mais gente nas favelas, agora vindo de dentro da cidade formal. Era a classe média subindo o morro, como os soldados de Canudos.

A década de 1980, conhecida como "década perdida" no Brasil, mostra crescente processo de favelização, atribuída ao colapso dos programas de financiamento da casa própria, extinção do BNH (Banco Nacional da Habitação) e dos conjuntos habitacionais, bem como à queda contínua do poder aquisitivo da população. O processo inflacionário agudo foi o principal fator para a desestabilização de todas as políticas sociais, em qualquer setor.

Em 1981, aconteceu o primeiro Encontro Estadual das Favelas, organizado pela Faferj. Vale salientar alguns pontos aprovados na ocasião: desapropriação de todas as áreas faveladas como início do processo jurídico que levaria ao reconhecimento de propriedade da terra para todos os moradores; urbanização das favelas; participação da Companhia Estadual de Águas e Esgotos (Cedae) no abastecimento e na distribuição de água e implantação de uma rede de esgotos nas favelas, com direitos e deveres para os moradores; responsabilização da Companhia Municipal de Limpeza Urbana (Comlurb) pela coleta permanente do lixo; realização de calçamento das ruas e becos e a garantia de que pelo menos 3% da renda bruta do estado fossem aplicados nas favelas em obras de urbanização. Muitas dessas ideias foram aproveitadas, mais tarde, pelo Governo César Maia, no programa Favela-Bairro.

Era Brizola

Os novos cenários políticos, de corte liberal, social-democrata ou socialista, todos possíveis diante da redemocratização do país, sobretudo a partir de 1989, abriram espaços para tensão renovada nas políticas de urbanismo e na criação de redes de proteção social, principalmente entre o PT, o PDT, o PSB, o PFL e o PMDB. A eleição de Leonel Brizola em 1982 pôs um ponto final na política de remoção e deu novamente destaque à questão habitacional.

Três metas foram estabelecidas: regularização fundiária, infraestrutura e incentivo à autoconstrução. Essa era a essência do programa Cada Família, Um Lote, visando a beneficiar

400 mil lotes clandestinos. No início, tudo parecia convergir para uma nova e mais moderna abordagem da questão. Convênios foram firmados com a Fundação Estadual de Engenharia do Meio Ambiente (Feema), o Banco Interamericano de Desenvolvimento (BID) e a Comlurb. A participação dos favelados se deu através do Projeto Mutirão.

O outro lado dessa política foi o fortalecimento de práticas clientelistas, com forte atuação de políticos e candidatos nas comunidades, sem que isso resultasse em qualquer ganho para as favelas. Uma das organizações atingidas por essa cooptação foi a até então combativa Faferj, que, de longa data, tentava organizar a população local e que se tornou um braço do poder público. No final de década de 1980, o alastramento da violência, via tráfico de drogas, provocou uma pausa em todo esse processo já cambaleante de integrar favelas a bairros.

O narcotráfico ocupa, finalmente, o espaço vazio deixado pelos governos da época. A economia do Rio entra em parafuso, fruto da crise brasileira e da desastrada fusão entre a antiga Guanabara e o velho Estado do Rio, em 1975. O crime organizado se tornou alternativa de renda e de serviços para muitos dentro da população carente e favelada. Voltava, assim, a todo vapor, o estigma da favela ligada à bandidagem e à violência.

Era César Maia

O primeiro governo de César Maia (1993/1996) tentou fazer essa "reconstrução", via os programas Rio Cidade e Favela-Bairro, que tiveram continuação com seu ex-secretário de Urbanismo Luiz Paulo Conde, seu sucessor na Prefeitura. O Plano Diretor Decenal da Cidade do Rio de Janeiro, anunciado em 1992, procurava eliminar o traço ideológico na questão da favela e da habitação de baixa renda, com propostas essencialmente técnicas de ordenamento social.

Mas é importante frisar que o documento do Plano Diretor percebe a favela como *um território que passa a integrar a cidade formal* e que, por isso, não pode ficar à margem da política oficial. As críticas ao plano estão centradas no fato de que seus resultados práticos foram de caráter imediatista, com obras de grande porte e visibilidade.

Em 1994, foi criada a Secretaria Municipal de Habitação para implementar a nova política. Mas, quase ao mesmo tempo, em 1997, houve a desativação do Conselho Municipal de Política Urbana, durante o Governo Conde, e isso foi interpretado como uma demonstração da falta de compromisso político com o Plano Diretor. Entre as estratégias definidas encontrava-se lá o Rio Integrado, onde foi inserido o Favela-Bairro.

As favelas foram finalmente identificadas, embora ainda como territórios segregados dentro do espaço urbano, além de ser marcadas como locais-sede do tráfico e da marginalidade. Mais uma vez, nada mudava na essência clientelística da abordagem oficial, nem na extrema limitação conceitual dos objetivos a alcançar. Apesar da riqueza verbal dos diagnósticos, a cidade formal mostrava não perceber a natureza da favela como um imenso e permanente espaço de acomodação e de transformação das contradições do próprio asfalto. A começar pela associação da favela ao tráfico, cuja demanda pela droga e cujos recursos para adquiri-la estavam no asfalto, e não na favela.

No desespero de prevenir o "contágio" da favela "suja" para dentro da cidade "limpa", foram surgindo, na última década, os "muros" virtuais e reais de "proteção", que buscavam impedir, ou ao menos restringir, a circulação das pessoas e a aplicação das leis entre os dois mundos. O fosso tinha a tendência nítida de se aprofundar.

O programa Favela-Bairro foi uma tentativa de derrubar esses "muros". Foram aplicados, inicialmente, US$ 300 milhões, dos quais 40% da Prefeitura e o restante pelo BID. Através do Programa de Urbanização e Assentamentos Populares (Proap), procurou-se a regularização dos loteamentos, a educação sanitária e ambiental e a urbanização das favelas. Aparentemente, a ênfase ficou na terceira parte — urbanização — porque, como dito antes, dava mais visibilidade ao programa junto à opinião pública. Era uma espécie de cartão postal do governante e de sua reta intenção.

Houve participação das comunidades selecionadas — as que tivessem entre 500 e 2.500 domicílios. Os dirigentes das associações de moradores de 16 áreas atendidas (o Grupo dos 16) mantiveram estreito contato com a Secretaria de Habitação e outros órgãos públicos que participaram do programa na sua primeira fase. Mas, em seguida, essas comunidades se desorganizaram e, no limbo organizacional, procuraram resolver seus problemas individualmente, o que passou a depender do nível de mobilização e acesso político de cada uma delas.

Afinal, será que todo esse esforço de décadas e a política pautada na reorganização físico-espacial de áreas carentes foram capazes de resultar na possibilidade de efetiva integração social? A resposta tem duas vertentes: não, porque a integração favela-bairro não poderia se resumir somente em mexer no seu espaço físico ou ter a pretensão de tornar homogêneo o que é diferenciado; sim, a partir do momento em que se percebeu a necessidade da regularização fundiária dessas áreas, só que de modo amplo e prioritário, tornando seus moradores os donos da terra e dos imóveis nela plantados, com sua própria identidade cultural resguardada.

Essa constatação em torno do quase óbvio levou a uma nova reflexão sobre o direito urbano no Brasil. Ao mesmo tempo que se demonstrava como a realidade social construía o direito durante todo esse processo, mostrava-se também como o direito pode produzir valores e modelos autógenos que repercutem no plano social. Na medida em que o direito empodera os cidadãos antes marginalizados, a população integrada ao estado de direito responde legitimando a fonte maior do poder, que é o governo.

As transformações jurídicas no processo de legitimação política da favela só foram possíveis com a Constituição de 1988, que reconheceu a propriedade privada como um dos princípios gerais da atividade econômica e reafirmou a sua função social. Esse posicionamento basilar possibilitou maior liberdade e flexibilidade de atuação jurídica sobre os parâmetros urbanísticos locais. A dobradinha passou a ser "urbanizar e titular a propriedade da terra". Pôs-se o dedo na ferida.

Mas não foi fácil. A tradição conservadora da construção legislativa e do poder judiciário brasileiro dificultou bastante o reconhecimento do direito irrestrito de propriedade aos meros "ocupantes de terrenos". A indecisão sobre o *status quo* desse ocupante foi sempre uma constante na inconstância do pêndulo da atuação de governos frente ao clamor por propriedade ampla, geral e irrestrita, deixando os favelados inseguros e sem qualquer proteção legal por décadas.

A favela permaneceu um espaço precário e apenas tolerado pelo poder da cidade formal, conforme as conveniências dos governos do asfalto. Mas, para os favelados, a esperança sempre foi que o provisório poderia um dia se tornar definitivo, ainda que por inércia, caindo de maduro do pé.

Para se ter uma ideia da dificuldade política em torno das mudanças, apesar da Constituição de 1988 e do que disseram os planos diretores municipais, só em 1996 a Cidade do Rio de Janeiro permitiu, com o Decreto 15.214, o exercício do comércio e atividades profissionais em favelas. Um pequeno avanço na política urbana. Assim mesmo, a título precário. O artigo 6º do decreto não deixava de salientar que o alvará será concedido "sempre a título precário e poderá ser revogado ou cancelado a qualquer tempo por motivo de conveniência ou oportunidade...". Esse artigo expressa o anacronismo da história da construção jurídica formalista e rígida em torno das favelas.

O estigma das favelas como *territórios segregados da cidade formal* ainda persiste, apesar das UPPs e de outras medidas recentes da Prefeitura, do Governo do Estado e da União. Mesmo urbanizadas, fica no imaginário a sensação de que as favelas continuam o epicentro da violência urbana e da marginalidade. Neste contexto, a regularização fundiária completa e a integração da favela à cidade são fundamentais. A informalidade é uma fonte importante de lucros. Que o digam o narcotráfico e as milícias. Daí o Projeto Cantagalo com o foco, antes de tudo, na titulação da propriedade.

Manter as favelas no limbo jurídico só favorecerá retrocessos, como a política de remoções, ou novas tensões sociais.

É preciso avançar. Os títulos formais de propriedade representam o reconhecimento histórico dos direitos sociopolíticos de uma população valente. Esses são os herdeiros da gente bravia que verteu seu sangue nos campos de batalha, desde Canudos. Outros verteram seu suor e sua juventude, nos campos da construção civil, dos grandes prédios de apartamentos que nunca habitaram. Portanto, favela é, desde sempre, luta e cidadania. Favela é honra e, inclusive, honra militar.

Com a propriedade plena, a favela titulada conseguirá assegurar a resolução de conflitos imobiliários e de vizinhança, colocando ponto final no século da cidade partida.

Referências

"O debate jurídico em torno da urbanização de favelas no Rio de Janeiro", Rafael Soares Gonçalves, doutor em direito e história pela Universidade de Paris e professor da PUC-Rio.

"A política, o direito e as favelas do Rio de Janeiro: um breve olhar histórico", Rafael Soares Gonçalves.

"Breve histórico da questão habitacional na cidade do Rio de Janeiro", Fernanda Guimarães Correia, mestre em ciência política pela UFRJ.

"Aldeias do mal", de Rômulo Costa Mattos, doutor em história pela UFF.

7

Subindo o morro: implantação do projeto e desafios iniciais

CARLOS AUGUSTO JUNQUEIRA*

"Gostemos ou não de advogados, nenhuma mudança no regime de propriedade e no processo de formação de capital terá lugar de fato sem a cooperação de ao menos alguns deles."

Hernando de Soto, *O mistério do capital***

Na primeira vez que subi o morro do Cantagalo não fazia ideia do que estava por vir. Não tinha como imaginar que, durante alguns anos, diariamente, o assunto regularização fundiária urbana ocuparia um espaço tão grande na minha vida pessoal e profissional. Subi a escadaria sozinho para me encontrar com Ignez Barretto e Paulo Rabello de Castro, que já me esperavam na sede da Associação de Moradores. Minha missão, passada por telefone por Paulo poucos dias antes, era visitar a comunidade para tentar orientar seus moradores so-

---

* Advogado, diretor do Instituto Atlântico, líder do Projeto Cantagalo na área jurídica.
** Op. cit., p. 230.

bre como resguardar seus direitos, considerando o início das obras do Plano de Aceleração do Crescimento (PAC-Favela). As intervenções geravam insegurança e ansiedade, pois implicavam o remanejamento de casas, inclusive pela instalação de um elevador para facilitar o acesso à futura estação do metrô General Osório, em Ipanema.

De pronto, pensei: como alguém poderia ser contra a instalação de um elevador no morro para melhorar o acesso dos moradores ao metrô. Mas pelo contato, frente a frente, com uma das moradoras (e minha futura "cliente") que antecipava sua remoção por conta do elevador, percebi que a questão era um pouco mais complexa. Para aquele tipo de problema não havia uma resposta jurídica "de primeira". A nossa moradora simplesmente não possuía nada além de testemunhas para provar que ela morava onde de fato residia e havia vinte anos. Aquelas garantias, que outros clientes do "asfalto" teriam sem discussão, como indenização prévia, em dinheiro, avaliação justa etc., seriam elas aplicadas a uma posseira sem qualquer justo título?

Essa questão me assaltou a mente: o direito do Código Civil Brasileiro seria ali aplicável? Ou deveria ser aplicada outra proteção jurídica, como se ali existisse uma ilha de *common law*, um direito consuetudinário, típico dos países anglo-saxões? E pensava no "drama" daquela brasileira em face da instalação do elevador. Ganho de muitos, prejuízo de outros tantos. Imaginei-me na situação daquela moça, refleti com outra densidade.

E esse foi o primeiro desafio que precisou ser vencido: devemos dedicar tempo, reflexão e profundidade para formar uma opinião sobre o tema regularização fundiária urbana.

Não pensar automaticamente, não responder antes de se colocar na posição do morador. Naquele hoje longínquo ano de 2008, a esmagadora maioria dos "especialistas" com quem conversei sobre o conceito do Projeto Cantagalo se opôs radicalmente à ideia de assegurar propriedade plena aos moradores de uma favela. Praticamente sem exceção, eram contra o que estávamos pensando em defender.

Assim, quando saí do Cantagalo naquele dia, me sentia vazio de qualquer resposta segura para as perguntas feitas pelo presidente da Associação e pelos moradores, que dirá por minhas próprias dúvidas. Em silêncio, em casa, o pensamento martelava; sentia-me desafiado. Não existem nem quarenta degraus entre o asfalto da cidade e a porta da sede da Associação de Moradores. Mas essa curta ladeira que separa dois pontos tão próximos apenas disfarça uma quase instransponível *distância jurídica* (e social) entre o asfalto e o morro. Em termos legais, aquela ladeira era enorme — íngreme e extensa — e mais parecia o Everest ou o K2, realmente assustadora.

A questão imediata — *dever de casa* do advogado após a primeira visita — foi analisar a *situação jurídica dos moradores* (os "donos das casas") considerando que não detinham direitos formais sobre o solo ocupado (os "donos do morro"). A questão, nem aparentemente, é simples. Tinha a certeza de que nada ali seria trivial — muito ao contrário, exigiria um trabalho extenso, tenaz e invisível.

De quebra, fora implantado no Cantagalo, assim como em outras comunidades, um sistema paralelo de registro imobiliário com interveniência das associações de moradores, gerando muitas dúvidas sobre a "paralegalidade" ou legitimidade intrínseca desse procedimento auxiliar. A posse da maioria das casas é antiga, muitas foram construídas há mais de cinquenta anos na comunidade.

A desistência imediata foi uma forte tentação.

Para escolher o caminho a seguir nessa primeira encruzilhada apeguei-me à minha formação pessoal, já que a profissional se revelava bem distante da especificidade daquele desafio.

Não trazia na bagagem profissional qualquer especialização em direito imobiliário. Estava, enfim, bastante desconfortável para analisar aquele tipo de situação. Naquele momento, eu completara uma década de atividades remuneradas, atuando basicamente nas áreas do direito societário e mercado de capitais.* Pelo lado estritamente profissional não tinha muito a ver. *Pessoalmente*, porém, algumas experiências de vida me propiciaram sólida formação humanística, impedindo que virasse o rosto para aquele infortúnio de tantos. Tenho certeza de que dessas experiências surgiu motivação para vencer o desafio de não desistir do Cantagalo naquele estágio inicial.

Em primeiro lugar, o convívio com minha mãe, assistente social e professora da rede pública de ensino. Como filho único, ia muito com a "Dona Marlene" ao trabalho no INSS e também em suas visitas semanais ao público assistido. Conheci albergues para filhos de portadores de hanseníase, dispensários para mendigos, preventórios, creches e instituições

---

* Foram pouco mais de quatro anos na Comissão de Valores Mobiliários (a CVM, autarquia federal vinculada ao Ministério da Fazenda, que regula, fomenta e fiscaliza as bolsas de valores e o mercado de capitais no Brasil) e outros seis anos no escritório Souza, Cescon, Barrieu & Flesch Advogados, no qual ingressei como estagiário em dezembro de 2001.

onde crianças abandonadas ou vítimas de abusos por parte dos pais ou parentes eram cuidadas e recebiam atenção especial, sem proselitismo. Minha mãe não me poupou de ver as "coisas tristes" da vida, sempre transmitindo a densidade daqueles encontros com a leveza de quem era testemunha de *um mundo distante do ideal, mas cuja realidade era inegável*. Assim, incubou em mim uma semente de solidariedade e atenção para com os mais necessitados que estava pronta para germinar no Cantagalo.

Em segundo plano, já subira o morro e conhecera boa parte das favelas cariocas nas incursões coordenadas pelo Centro Acadêmico Eduardo Lustosa, dos alunos de direito da PUC-Rio, e pelo Movimento Para Todos. Eram grupos de sessenta a setenta pessoas, entre calouros e veteranos, em excursões, com apoio da universidade, à Rocinha, ao Vidigal, a Senador Camará, ao Chapéu Mangueira, à Ladeira dos Tabajaras, entre outras. Geralmente, uma tarde de interações e brincadeiras entre "morro" e "asfalto". Na ida à Rocinha, a primeira a ser visitada no âmbito da gincana promovida pelo Trote Solidário, o local do encontro chamou nossa atenção por ter sido um lixão da comunidade até pouco antes de nossa visita: Largo do Campinho. Fiquei pensando naquilo, de como um "lixão" podia se transformar em um espaço aprazível, relativamente amplo, com equipamentos de parque, gangorras e balanços, despertando alegria nas crianças.

Como nas andanças com minha mãe, as visitas dos "estudantes de direito da PUC-Rio para brincar com as crianças" (como éramos anunciados no sistema de som das comunidades) renderam *testemunhos da vida real marcada por carências e chagas sociais*.

Foi, então, preciso chamar todas as antigas vivências lá de dentro para acreditar ser possível implementar uma regularização fundiária com a propriedade plena, não desistindo logo na largada. Certamente, estar ao lado de pessoas maravilhosas e dispostas a doar um pouco — ou bastante — de seu tempo para uma causa nobre foi outro motivo para não desistir.

E conhecer melhor nossos clientes foi o incentivo definitivo para continuar a batalha. Na medida em que o projeto se desenvolvia, ficava cada vez mais evidente que os moradores, personificados pelo corpo diretivo da Associação de Moradores, especialmente pelo presidente Bezerra, tinham um pleito legítimo.

O direito real do morador do Cantagalo me ficou claro na primeira assembleia de moradores, por nós convocada para discutir as medidas que poderiam ser adotadas para implementar a regularização fundiária. Na prática do direito empresarial já havia participado de muitas assembleias gerais, sobretudo de acionistas de companhias abertas, listadas em bolsas de valores, que geralmente são as mais animadas. Já tinha visto algumas bem intensas, com discussões acaloradas e debates duros entre acionistas minoritários e controladores. Já tinha sido secretário e presidente de mesa, advogado de acionistas reclamantes e reclamados, nada equivalendo, entretanto, àquela experiência no morro.

O presidente Bezerra havia convocado a assembleia de acordo com o regimento e a praxe da Associação, inclusive com direito a divulgação em edição especial do nosso recém-circulado jornalzinho *Canto do Galo*.

Abertos os trabalhos, a discussão de mérito mal se iniciara quando adentrou esbaforida na sessão uma senhora transtornada, com um bebê a tiracolo. Vociferou aos gritos no recinto e o silêncio perplexo se instalou. Confesso que até hoje não entendi do que ela reclamava, mas lembro perfeitamente do pulso que teve o Sr. Bezerra, alterando a voz apenas o suficiente para se impor, sem gritar, reconduzindo a reunião para sua pauta original. Convidou aquela moradora para permanecer com o filho no recinto, em silêncio, sendo autorizada sua fala apenas para manifestações relacionadas ao tema da discussão. Posteriormente, aquela senhora se tornou entusiasta da regularização.

Uma assembleia de moradores com objetivo de discutir a futura propriedade das casas numa favela tem tudo para não dar certo, desde a complexidade do tema até a diversidade dos envolvidos, uma miríade de situações sociais, estratificadas no morro, equivocadamente encarado pelo povo do asfalto como uma massa homogênea de pessoas. Apenas um fator pode manter a ordem sem a força: a legitimidade do líder local. Detectar e mobilizar tal líder é o maior desafio organizacional de qualquer empreitada desse tipo. Apenas representantes com história na comunidade, sérios, honestos e bem-intencionados podem conduzir com legitimidade uma assembleia dessa natureza. E a comunidade do Cantagalo possuía um líder legítimo.

Assim, nossa primeira assembleia transcorreu com tranquilidade. De forma muito rápida, caiu por terra, e para sempre, meu preconceito de que as pessoas não tinham ideia de em que situação jurídica viviam. Frases como "nós sabemos que não temos título de propriedade", "somos posseiros" ou "esse título que o governo está dando no PAC não é de propriedade" confirmaram que não havia ali qualquer traço de ignorância.

Todos queriam a propriedade. E nesse contexto expliquei aos moradores que o que eles queriam dependeria de um extenso trabalho de mapeamento e recenseamento, casa a casa, palmo a palmo. Nada poderia escapar desse recenseamento geral para termos um "bom caso". Precisaríamos, na fase judicial, de um retrato completo do Cantagalo, unidade por unidade. Esse foi um enorme desafio, cujo custo financeiro seria arcado pelo Instituto Atlântico, com inestimável apoio do Instituto Gerdau. Mas, além do trabalho técnico-jurídico, o desafio permanente era com a própria comunidade, que precisaria apoiar o trabalho de campo e, sobretudo, *querer* a regularização. Passou, assim, a ser parte do nosso mantra: *não estávamos ali para dar nada; estávamos ali para ajudar a comunidade a conquistar o que ela própria definisse e quisesse.*

Um direito que, obviamente, não viria desacompanhado de deveres. Isso também tinha de ficar bem claro para todos. Lembro-me de uma voz, naquela primeira assembleia, indagando se todos deveriam acelerar suas construções para que aparecessem no cadastro como concluídas. Foi explicado que aquilo não seria adequado; que era preciso, pelo contrário, suspender novas construções e trabalhar apenas nas reformas em andamento. Não era simples explicar que o "direito de construir" estava temporariamente interrompido para que eles adquirissem o direito de ser donos. Também não posso afirmar que todos seguiram esse conselho dos advogados lá presentes, mas acredito que a maioria entendeu a mensagem do "dia seguinte" da regularização: haveria impostos a pagar, água, luz, TV a cabo, enfim, todos os serviços antes adquiridos na informalidade teriam outro custo na formalidade.

Esse custo é outro capítulo no livro. Importa aqui dizer que aquelas pessoas estavam ali demonstrando plena capacidade de contrair obrigações na vida civil. Não eram ignorantes ou desamparados, intelectualmente. Ao contrário, mostraram uma visão de mundo totalmente adequada e, aos meus olhos, surpreendente em sua simplicidade e assertividade. Traduziam, rapidamente, conceitos jurídicos complexos e isso servia de enorme estímulo para que nosso pequeno grupo de advogados continuasse trabalhando.

Outro desafio bem visível era a segurança pessoal do nosso time. Bezerra nos afirmara que, no Cantagalo, só tinha "um pouquinho" de tráfico; que ali funcionava só um comércio de drogas leves, que a confusão já tinha passado e por aí vai. Mas não era bem assim. Por coincidência ou sorte, bem no início, realmente não vimos ou sentimos atividade suspeita. Mas durante a pesquisa de campo, realizada pelos moradores contratados, sabíamos que, em diversos dias, os trabalhos ficavam suspensos porque o "bicho estava pegando no morro", por causa de balas perdidas e tiroteios intensos. Os advogados do grupo que pisavam o chão do morro com mais frequência, especialmente meu colíder e companheiro desde a primeira hora, Rafael Mitchell, e nossos *trainees*, Mário Azevedo e Flávia Meslin, passaram a cruzar com pessoas fortemente armadas e, claro, sempre batia um frio na barriga.

Certo dia foi minha vez, enquanto subia serelepe pelas escadarias para a Associação, de cruzar com um par de rapazes, ainda com cara de garotos, mas fortemente armados, que "estranharam" minha pressa. Saquei primeiro e me apresentei, "Advogado da legalização, atrasado para reunião com os clientes na Associação". "Vai lá, doutor", foi o que consegui ouvir, apressando meu passo!

A essa altura, já havia se tornado folclórico o pedido de um presidiário interno em Bangu 1, que fizera chegar um recado sério ao Bezerra para ele não se esquecer de cadastrar a residência dele, ocupada pela esposa do cidadão. O preso poderia até demorar a sair, mas ficou sabendo da conquista em andamento e não queria ficar de fora. Estava ficando claro para nós que o desafio da insegurança tinha virado uma quase certeza de segurança. De fato, mesmo com tantas visitas do nosso grupo à favela, nossa equipe encerrou aquela longa fase sem qualquer incidente de segurança, por mínimo que fora, da parte dos moradores.

Finalmente, o desafio de foro íntimo, da posição ideológica que alguém jovem acha que um projeto como o Cantagalo tem de ocupar em sua cabeça. Confesso que não perdi tempo com maiores elucubrações sobre se a luta pela propriedade seria algo de "direita" ou de "esquerda", ou então de "centro", "liberal" ou "progressista", ou menos ainda "reacionário", "libertário" ou "comunista". Concluí por não me importarem os rótulos. Importava a lei. E essa era clara. O direito adquirido, pendente de formalização, era o óbvio a ser perseguido: quem ocupasse terras urbanas de forma pública, mansa e pacífica, por cinco anos, tinha direito de ser proprietário, nos termos do Estatuto da Cidade, uma legislação federal de 2001.

E logo surgiria outro desafio, esse não inscrito na lei, que seria a questão de como transferir para seus verdadeiros donos as terras públicas ocupadas pela comunidade, terras essas que não podem ser objeto de uma ação de usucapião, que não estão sujeitas ao regime da propriedade privada.* Essa acabou, afinal, se revelando a grande barreira legal e política a ser superada, algo que só viria a acontecer, na lei, ao final do ano seguinte, em 2009, e cuja batalha final por sua implantação, na prática, ainda prossegue enquanto encerro esta curta, mas pessoalmente extraordinária, narrativa.

Certamente trabalhamos em um mundo distante do ideal, mas cuja realidade pode e deve ser transformada. Cumpri essa missão no Cantagalo. Nossos clientes precisavam de segurança jurídica no que, à época, era ilegal. Fui estudante da vida como ela é, junto com meus fabulosos companheiros do direito e a equipe multidisciplinar formada para dar conta do recado. O maior desafio inicial, sem dúvida, foi achar que tudo isso seria possível...

---

* Esse assunto, por sua importância central, é tratado em diversos outros capítulos do livro.

8

As cidades invisíveis: de Marco Polo ao Cantagalo

Luiz Fernando Pezão*

Em uma passagem de *As cidades invisíveis*, de Italo Calvino, Marco Polo descreve para o imperador Kublai Khan diversas cidades que havia visitado. O desejo do imperador é que, a partir da experiência do viajante veneziano, fosse possível erguer um império perfeito. Impossível acontecer: as cidades nunca serão perfeitas porque nós, humanos, não o somos e nunca seremos. No entanto, temos a obrigação de torná-las melhores. No caso do Rio de Janeiro, assistimos, nos últimos anos, a um crescimento desordenado e injusto, que segregou a cidade. Temos aqui uma cidade partida entre o morro e o asfalto, entre excluídos e incluídos dos benefícios da urbanidade. Somos várias cidades convivendo em paralelo.

Desde que surgiram, no início do século XX, as favelas paulatinamente se transformaram em verdadeiras cidades invisíveis, ou melhor, com populações invisíveis aos olhos do poder público. São milhares de pessoas jogadas à própria sor-

---
* Vice-governador do Estado do Rio de Janeiro.

te, convivendo com esgoto a céu aberto, moradias precárias, falta de escolas, postos de saúde e sistema de transporte. Mais do que conter a expansão da favela, temos de debelar a degradação. O que fazer, então, para tornar o Rio uma cidade não perfeita, mas integrada e mais justa?

Temos no Programa de Aceleração do Crescimento (PAC) — parceria entre os governos federal, estadual e municipal — uma das respostas. Não se trata apenas de fazer obras estruturais em comunidades carentes, onde, muitas vezes, o poder público faz-se presente apenas pelas incursões policiais. Queremos manter o Estado presente com políticas públicas eficientes, inclusive as de segurança. Por isso, estamos construindo escolas, postos de saúde, unidades habitacionais, meios de transporte, polos de cultura e esporte, áreas de lazer, centros de cidadania, com prestação de serviços jurídicos, emissão de documentos, cursos de qualificação, além de fazer a regularização fundiária.

O ponto de partida do PAC no país foi o Rio de Janeiro. O complexo Pavão-Pavãozinho/Cantagalo foi a primeira comunidade do Brasil a ser urbanizada com recursos do PAC. Lá, os governos Lula e Sérgio Cabral investiram R$ 45 milhões, em ações e obras, concluídas em 2010, como a implantação de 5.350 metros de rede de esgotamento sanitário, 3.300 metros de rede de água potável, 1.100 metros de rede de drenagem pluvial, pavimentação de 4.500 metros quadrados de becos, vielas e escadarias, construção de 120 moradias, cadastramento dos moradores, censo habitacional, entre outros. Além disso, demos início nessas comunidades a um dos projetos mais importantes da administração Sérgio Cabral: a regularização fundiária. Para tanto, formamos uma parceria com o Instituto Atlântico, liderado por Paulo Rabello de Castro, que desenvolveu, com sua equipe, o inovador Projeto Cantagalo, com o objetivo inédito no país de obter para os moradores daquela comunidade seus títulos de propriedade definitivos. Foi o início de um processo que resultará, nos próximos anos, na obtenção do título de propriedade por 3.430 famílias do Complexo Pavão-Pavãozinho/Cantagalo, por meio de doação feita pelo Estado.

O trabalho que o Instituto Atlântico tem feito no Cantagalo comprova como podemos acelerar o processo de conquista de cidadania por meio de um título de propriedade. Assim, o Governo do Estado não apenas acolheu o projeto que Paulo Rabello de Castro e seu grupo de talentosos profissionais nos apresentaram. Inspirado nesse trabalho, o governador Sérgio Cabral enviou à Assembleia Legislativa um projeto de lei — depois aprovado pelos deputados e sancionado por ele — que permite a doação a cidadãos carentes de títulos de propriedade em áreas de interesse social pertencentes ao Estado.

Para que o programa de regularização fundiária — desenvolvido pelo Escritório de Gerenciamento de Projetos (EGP-Rio) da Casa Civil em parceria com o Instituto de Terras e Cartografia do Rio de Janeiro (Iterj), da Secretaria de Estado de Habitação — fosse possível, foi feita uma mudança na Constituição estadual, com a Lei Complementar nº 131/2009. Com isso, pudemos avançar mais no processo. O governo estadual está retirando milhares de moradores da informalidade. Com a posse definitiva dos imóveis, os moradores têm mais facilidade de obter crédito habitacional, além de investir com segurança em benfeitorias e reformas na sua residência, tendo a certeza de que suas casas não lhes serão retiradas.

Vale, também, lembrar que, dentre as várias intervenções urbanísticas que o Rio vem sofrendo nos últimos quatro anos e meio, o complexo Rubem Braga pode ser considerado um marco dessa nova realidade, que transforma problema em solução. Até bem pouco tempo, o local, onde hoje está implantado o complexo, incluído o elevador, oferecia insegurança para a população da região de Copacabana e Ipanema. A construção permite acesso rápido à estação General Osório do Metrô, proporcionando conforto e dignidade não só para as comunidades do Pavão-Pavãozinho e Cantagalo, mas também para todos os moradores da localidade.

Além da estética, que atrai, em média, 5 mil visitantes por mês, possibilita, também, geração de renda. O prédio simboliza a integração da cidade que já foi partida. Some-se a tudo isso a instalação da Unidade de Polícia Pacificadora (UPP) naquele complexo, que, com a retomada do território anteriormente dominado por criminosos, beneficia moradores das duas comunidades e também do seu entorno, constituindo significativa valorização imobiliária.

Ao planejar essas ações, não podemos perder de vista os dados contidos no Relatório sobre a Situação da População Mundial, do Fundo das Nações Unidas para a População, que trata do processo de urbanização no mundo. Segundo o relatório, em 2030 teremos um adicional de 5 bilhões de pessoas vivendo em cidades. A explosão urbana, adverte o documento, será muito mais difícil de ser controlada. As cidades irão concentrar pobreza, mas também representam a melhor esperança de se escapar dela. Se, por um lado, isso é um fato preocupante, por outro, segundo o relatório, seria o momento ideal para refletirmos sobre os pontos positivos que o crescimento urbano pode gerar.

Ou seja, é hora de traçarmos metas para reduzir a pobreza e as desigualdades sociais. No Rio de Janeiro quando se trata de enfrentar os problemas advindos do crescimento urbano, a expansão das favelas é um dos pontos a serem examinados. Esse crescimento ocorre, entre outros fatores, devido à falta de regularização fundiária para evitar ocupações irregulares.

Os programas que estamos implantando nessas comunidades, aí incluído o Projeto Cantagalo, têm por objetivo melhorar a qualidade de vida de seus moradores, sem quebrar o vínculo das famílias que vivem há décadas naquelas regiões. Em breve, habitantes de outras áreas beneficiadas pelo PAC — Dona Marta, em Botafogo; Preventório, em Niterói; Rocinha, em São Conrado; Complexo do Alemão e Manguinhos, na Zona Norte — também receberão títulos de propriedade de suas casas.

O objetivo do Estado é transformar as comunidades carentes em bairros verdadeiros. Dar o título de propriedade às pessoas que residem nesses lugares é um passo fundamental no esforço de integração das favelas à cidade formal. Esse será o grande legado do Governo Sérgio Cabral, a conquista da dignidade da população por meio de ações urbanísticas e sociais, conjugadas à titulação de propriedade.

9

Batendo duro e pegando leve: o emprego da lei e do direito

Rafael Mitchell[*]

> "A implementação de um sistema de propriedade que gere capital é um desafio político, pois envolve entrar em contato com as pessoas, compreender o contrato social e rever o sistema legal."
>
> Hernando de Soto[**]

Não obstante todos os indicativos sociais e todas as orientações legislativas quanto à evolução da propriedade urbana, o Rio de Janeiro agonizava pela falta de soluções práticas para o problema fundiário e deixava sem resposta a população do estado e da cidade, que presenciava diariamente o aumento das favelas em proporções desmedidas, clamando por uma alternativa diferente daquelas mal aplicadas durante as últimas décadas.

---

[*] Advogado, presidente da Comissão de Direito Urbanístico da OAB-RJ e diretor do Instituto Atlântico.
[**] *O mistério do capital*, op. cit., p. 264.

Nesse contexto, e no desenrolar do Projeto Cantagalo, buscou-se, antes de qualquer outra coisa, mostrar ao Estado que uma mudança de rumo seria necessária. Buscou-se mostrar o quanto seria importante para aquela comunidade centenária, habitante do morro do Cantagalo havia tantas décadas, obter o reconhecimento da propriedade, não só por direito seu, mas também por sua maturidade cívica e por ser exemplo inédito para todo o país de "favela que vira cidade". Mais do que isso, procurou-se mostrar ao poder público que aqueles cidadãos, tidos pelo Estado como eternos noivos da propriedade urbana, à luz da própria Constituição federal e do Estatuto da Cidade, já detinham direito ao reconhecimento dessa união estável.

A crônica ausência de planejamento urbano por parte do Estado, por administrações sucessivas, sobretudo dos órgãos e das companhias que detêm a responsabilidade de conduzir e desenvolver a política urbana do âmbito estadual, entretanto, prejudicou o reconhecimento desse direito à propriedade pleiteado pela comunidade do Cantagalo, quando submetido de forma administrativa e, até mesmo, política. Nem mesmo o evidente cunho populista que existe na "doação" das terras para fins de regularização fundiária persuadiu inicialmente os governantes e agentes públicos a reconhecer a propriedade definitiva.

Pelos resultados obtidos através dos estudos fundiários realizados — apesar de todas as dificuldades proporcionadas não só pela imprecisão dos registros públicos imobiliários, mas também pela ultrapassada descrença desses órgãos registrais quanto ao êxito dos programas habitacionais — descobrimos que havia quatro distintos proprietários das terras em que se situa, hoje, a comunidade do Cantagalo. Salvo algumas faixas de terra no interior da comunidade denominadas "áreas de sombra" — nas quais se mostrou impossível a verificação legal do real proprietário, diante da ausência de registros públicos históricos — o solo do morro tem como proprietários: (i) o Estado do Rio de Janeiro; (ii) a Fundação Leão XIII; (iii) os particulares confrontantes do morro; e (iv) a Cehab (Companhia Estadual de Habitação), órgão ligado à Secretaria de Habitação do Estado do Rio de Janeiro, que obteve a transferência dessa propriedade, que representa um terço da ocupação da comunidade, para o seu patrimônio empresarial, pelo Governo do Estado, na oportunidade em que foi apresentado com foguetes e confetes o programa Cada Família, Um Lote. Nele, a Cehab deveria promover justamente a regularização das terras públicas para fins de habitação, do que, no entanto, nunca cuidou até o fim. O programa caducou sem ter saído do lugar. Ficou claro pelas pesquisas cartoriais que a Cehab era, de longe, a maior detentora das terras em questão, estando ela apta, portanto, a promover a correta regularização fundiária pró-moradia pela qual recebeu a transferência dessa propriedade para o seu patrimônio.

Do ponto de vista fundiário, vale ressaltar que, sem considerar os aspectos urbanísticos, programas como Favela-Bairro e Cada Família, Um Lote foram absolutamente progressistas. Mas fracassaram quando tornados dependentes da máquina burocrática estatal, que, na maioria das vezes, acaba por abandonar os avanços obtidos na esfera das intenções políticas. É a velha carência de sólidos programas fundiários de Estado, que ultrapassem as barreiras dos mandatos de governos e que acompanhem a evolução da sociedade e preparem as cidades e seus cidadãos para o futuro por meio de estratégias duradouras. Infelizmente, a velocidade das ocupações irregulares, proporcionadas pela manifesta omissão do poder público na criação de marcos regulatórios e fiscalizadores, permitiu que o problema fundiário alcançasse, no mesmo século, um ponto crítico.

Respaldada no falso conforto legislativo que garante a impossibilidade de usucapião de terras públicas, a Cehab jamais contribuiu para a execução de uma correta política de desenvolvimento urbano. As terras que integraram seu patrimônio na oportunidade do Cada Família, Um Lote nunca foram objeto de parcelamento e titulação, sob nenhuma forma instrumental. Nem mesmo instrumentos de titulação precária, como a CDRU ou a Cuem, foram aplicados aos habitantes daquelas terras, o que nos faz lamentar profundamente a rejeição da emenda popular da reforma urbana pela Assembleia Constituinte, apesar da pressão social, que previa a possibilidade de usucapião de imóveis públicos.

Ora, se a função social da propriedade deve ser respeitada pelo cidadão habitante das metrópoles, parece evidente que o Estado deve dar o exemplo e atribuir finalidade específica às terras públicas abandonadas pelos seus agentes promotores, mas absolutamente vitais para os seus habitantes.

Não obstante a crença de que seu patrimônio importava em propriedade estatal, seguramente se criou um desconforto quando sustentamos, em reuniões com representantes do Executivo estadual, que, segundo entendimento do Supremo Tribunal Federal, a Cehab, como autarquia estadual, não era entendida como ente público federativo e que, por isso, teria personalidade jurídica própria, sendo seu patrimônio considerado particular e cabendo em face dela, portanto, pleito de reconhecimento da usucapião de terras suas, então ocupadas pela comunidade do Cantagalo.

Ainda assim, o hiato governamental foi tamanho que obrigou a Associação de Moradores a intervir na política de desenvolvimento urbano e utilizar um dos instrumentos de ordenamento garantidos pela Constituição, oportunidade em que foi proposta a mencionada ação de usucapião especial coletiva contra a Cehab. Pelo cabal cumprimento de todos os requisitos legais e diante do ótimo recebimento do pleito pelo Poder Judiciário, que, através de uma exemplar decisão positiva liminar, determinou o prosseguimento da demanda e as citações do réu e dos confrontantes, ficou evidente ao Estado do Rio de Janeiro que, ao final da ação, caso não fosse promovida qualquer mudança de posicionamento ideológico e legislativo, seriam obtidos os títulos de propriedade de forma originária em todo o perímetro pertencente à Cehab, representando praticamente um terço de todo o morro do Cantagalo.

O Poder Executivo estadual entendeu o recado. Havia no topo da pirâmide política do estado a sensibilidade de um político com vocação para ouvir e agir. Foi o que fez Luiz Fernando Pezão, ao levar ao governador Sérgio Cabral e ao seu chefe da Casa Civil, Régis Fichtner, a demanda da comunidade do Cantagalo, com uma só orientação: o estado tem de mudar o jogo para dialogar com um eleitor que sabe o que quer. Pezão estava correto. Um terço da comunidade teria reconhecido seu título de propriedade através do instituto da usucapião coletiva e os outros dois terços receberiam, se tanto, títulos precários e frágeis de manutenção da posse. A solução não era boa. O estado precisava ousar mais: buscar a solução integral.

Também para nós ficou claro que, para atingir o objetivo proposto pela comunidade, seria necessário "bater duro", mas "pegar leve", a partir do momento em que ficou clara a mudança de política fundiária no estado. A resignação estatal, no sentido de que a sociedade fluminense, respaldada pelos instrumentos legais trazidos pela Constituição federal de 1988 e pelo Estatuto da Cidade, poderia intervir na política fundiária para buscar a segurança da propriedade através de ações judiciais, evidenciou que o poder público, agora, não estava sozinho na definição do futuro urbano carioca. Mais do que isso, ficou claro que a sociedade não só poderia intervir positivamente nesse processo como o faria necessariamente em busca de um meio ambiente urbano melhor e mais equilibrado.

Após tantas horas de estudos e reflexões, apresentamos ao estado uma alternativa consistente e legal ao perceber que, na realidade, a resposta sempre esteve ali; apenas precisávamos enxergá-la sob outro ponto de vista.

A Constituição federal de 1988 veda expressamente a usucapião de terras públicas. Por outro lado, não há qualquer dispositivo constitucional ou infraconstitucional que proíba o Estado de outorgar títulos de propriedade de terras públicas para fins de regularização fundiária urbana. Ou seja, o cidadão informal, habitante de terras públicas, ainda que cumpra todos os requisitos legais para a sua aquisição através do decurso do tempo, jamais terá reconhecido tal direito pela natureza pública das terras que ocupa. Por outro lado, o Estado, com efetivo interesse em promover a integração social e garantir a democracia através da propriedade urbana, poderá outorgar, onerosa ou gratuitamente, terras estatais com objetivo de cumprir sua função social e a regularização fundiária dos assentamentos informais através do reconhecimento e titulação da propriedade, aliados, naturalmente, a outras práticas coletivas fundamentais: à integração social da população residente nas favelas. Esse novo rumo parece ter sido, finalmente, o norte eleito pelo Estado do Rio de Janeiro como rumo para as futuras políticas públicas de habitação e desenvolvimento urbano.

O Governo do Estado agiu rapidamente. O novo caminho da política fundiária estadual foi aprovado em tempo recorde: uma Emenda à Constituição do Estado do Rio de Janeiro respaldando juridicamente a transferência de terras públicas, em definitivo, para fins de moradia e promoção da regularização fundiária para fins de habitação, desde que, evidentemente, estivessem cumpridos todos os requisitos legais para tal reconhecimento.

A propriedade urbana, como fonte de criação de riqueza e instrumento de inserção social do cidadão materialmente carente, representa um novo modelo de solução para os problemas fundiários das metrópoles modernas. A regularização fundiária urbana, através do reconhecimento da propriedade individual ou coletiva, promove a legalização do mercado informal do solo urbano e a outorga dos títulos de propriedade para os habitantes dos assentamentos irregulares como proposta de transformação do meio ambiente urbano. A simples entrega de um título de propriedade, pela assinatura de uma escritura pública, lança o cidadão morador das comunidades carentes e irregulares no universo da formalidade, mas jamais atingirá o seu objetivo principal.

Por isso, sem a implementação de uma fase transitória que permita ao cidadão secularmente irregular formalizar-se gradativamente, não haverá solução concreta a tão grave problemática. É fundamental que, somados à outorga do título de propriedade, sejam implementados outros instrumentos de integração social, diretamente relacionados às necessidades básicas do cidadão urbano, como a implantação de infraestrutura básica de acesso a todos os serviços públicos, assim como é fundamental que tais cidadãos, uma vez titulados, passem a contribuir progressivamente para o Erário para manutenção desses serviços essenciais, assumindo, dessa forma, todos os direitos e deveres inerentes à propriedade privada.

A experiência do Cantagalo mostrou a todos que dela participaram de perto, acima de tudo, quão falhos e antiquados são os nossos registros públicos. A dificuldade de encontrar os proprietários formais do morro em que se instalou a comunidade do Cantagalo foi imensa, tanto pelo desacordo entre os documentos municipais relacionados aos Projetos de Loteamentos Aprovados quanto aos Registros Gerais de Imóveis, cujas imprecisas informações são, mais do que a própria ideologia sobre a regularização fundiária, os maiores vilões desse processo de reconhecimento. E não só por parte da sociedade que busca reconhecimento. O próprio poder público sofre com essa imprecisão na medida em que encontra muitas dificuldades para implementar, por exemplo, políticas de desapropriação de interesse público e social, situação que emperra o desenvolvimento dos programas em razão da insegurança da titularidade jurídica dos terrenos objeto de desapropriação.

O velho desaparelhamento técnico estatal e o conformismo rançoso, gradativamente, ganham ares de passado e, hoje, os investimentos são constantes no Rio de Janeiro. Claro que a escolha da cidade como sede de diversos eventos esportivos, nos próximos anos, em muito contribuiu para o ingresso de significativos investimentos federais e estaduais. Mas a crescente compreensão e o debate do problema fundiário urbano pela própria sociedade são o maior ativo obtido nesta luta.

10

Vencendo oposições: as tarefas da equipe no Cantagalo

MÁRIO AZEVEDO*

Vários anos de formação acadêmica na Faculdade de Direito da Universidade do Estado do Rio de Janeiro e de prática profissional em alguns do melhores escritórios de advocacia do país pouco contribuíram para enfrentar as vicissitudes surgidas no desenrolar desse estimulante, porém trabalhoso, processo de regularização fundiária, carinhosamente apelidado por nossa equipe de Projeto Cantagalo.

Embora a Constituição federal de 1988 tenha dedicado um capítulo exclusivo à política urbana e o Estatuto da Cidade tenha entrado em vigor em 2001, as grades curriculares da maioria, se não de todas, as faculdades de direito não contemplam o direito urbanístico, preferindo priorizar as disciplinas mais tradicionais e que integram o controvertido exame da Ordem dos Advogados do Brasil. O concorrido mercado das sociedades de advogados, ao qual me dedico desde o meu quarto período da faculdade, não consegue enxergar, salvo ra-

---
* Advogado e gerente operacional no Projeto Cantagalo.

ras exceções, um produto rentável envolvendo a aplicação do direito urbanístico, sendo escassas as oportunidades de prática profissional nesse campo.

Foi nesse contexto, com pouco conhecimento sobre o direito urbanístico, comum à maioria dos atuais operadores do direito,* que entrei, ainda em 2007, como estagiário da equipe de contencioso cível, na sala do então advogado sênior da área de mercados de capitais, Carlos Augusto Junqueira, ou carinhosamente, o Guto, para ouvir a proposta que definiti-

---

* Essa realidade se tornou ainda mais evidente para mim quando, após distribuir a ação de usucapião especial urbana coletiva sob o nº 2009.001.136737-0, para a 7ª Vara de Fazenda Pública da Comarca da Capital do Estado do Rio de Janeiro, em 1/6/2009, fomos despachar com a juíza responsável nossa petição inicial com o intuito de esclarecer nossos argumentos e sanar eventuais dúvidas. Devidamente recebidos pela douta magistrada, ela de pronto nos informou que desconhecia a matéria, que, obviamente, fugia do seu dia a dia, e nos pediu que retornássemos um mês depois, para que ela pudesse estudar melhor o assunto e, assim, preencher a lacuna deixada pelo sistema de formação jurídica brasileira. Retornamos, conversamos com ela sobre a nossa pretensão, sendo proferido o despacho inicial, cujo seguinte trecho reitera o que foi aqui exposto: "(...) Com efeito, a pretensão que aqui se deduz é novíssima. A despeito de fundamentada na CRFB, de 1988, e no Estatuto da Cidade, de 2001, não se tem notícia de ações de tal natureza no ERJ, conclusão a que se chega após pesquisa realizada na jurisprudência deste E. Tribunal, que indicou a existência de apenas um precedente da 13ª Câmara Cível, de relatoria do e. Desembargador Ernani Klausner (Apelação Cível n. 2003.001.35809), mas que, em razão dos limites da devolução da matéria por força do recurso então apreciado (legalidade do indeferimento da inicial pelo juízo de 1º grau), não pôde enfrentar as questões de fundo que aqui se apresentam e que se fundamentam na ponderação, ou harmonização, de diversos direitos de natureza constitucional, dentre eles, o direito à moradia e o direito ao meio ambiente, apenas para citar os mais evidentes." Ou seja, desde a entrada em vigor do Estatuto da Cidade em 2001, o Tribunal de Justiça do Estado do Rio de Janeiro não tinha analisado nada sobre o instituto da usucapião especial urbana coletiva. Diante desse cenário, resolvemos criar a Comissão de Direito Urbanístico da Ordem dos Advogados do Brasil, Seção do Rio de Janeiro, presidida por Rafael Mitchell e da qual sou secretário.

vamente alteraria os rumos da minha vida: o convite para participar do Projeto Cantagalo.

Naquele momento captei a grandiosidade do projeto e vislumbrei uma maneira de concretizar os anseios de um jovem que almejava transformar as vidas das pessoas e contribuir para um mundo melhor.

Todavia, os desafios eram imensos. Precisávamos nos tornar especialistas em algo que, até então, era desconhecido; captar recursos; contratar prestadores de serviços; entender os anseios dos nossos clientes, os moradores do Cantagalo, e esclarecer-lhes as dúvidas; fazer os contatos e iniciar as negociações com o poder público; fazer o levantamento fundiário da área ocupada, entre outras coisas. A lista do que precisava ser feito parecia interminável, mas uma determinação encabeçava a lista e guiava a execução de todas as nossas outras ações: precisávamos obter o título de propriedade plena para os moradores da comunidade do Cantagalo. Saí da sala do Guto sabendo a quantidade de trabalho que deveria ser feito, mas ignorando inúmeros outros problemas que surgiriam no desenrolar do projeto e que dificilmente poderiam ser antevistos.

Sabia, contudo, que importantes entraves já haviam sido superados como (i) a necessária aproximação entre os moradores da Comunidade do Cantagalo, via presidente da Associação de Moradores, Luiz Bezerra, e idealizadores do Projeto Cantagalo, Ignez Barretto e Paulo Rabello de Castro; e (ii) o entendimento do alcance social e da inovação jurídica do Projeto Cantagalo, pelos escritórios de advocacia Souza, Cescon, Barrieu & Flesch e Gorayeb & Mitchell, tradicionalmente voltados para o direito empresarial, mas que aceitaram atuar em caráter *pro bono* não apenas como assessores jurídicos, mas também como verdadeiros gestores do projeto, sempre sob a supervisão do presidente do Instituto Atlântico e coordenador geral do projeto, Paulo Rabello de Castro, que tinha a palavra final.

Dessa forma, iniciei os trabalhos com afinco e quase sempre depois do expediente normal de trabalho. Uma vez repassada a legislação e descoberto o que precisava ser feito para definir a estratégia jurídica rumo à propriedade plena, isso a cargo de Guto Junqueira e Rafael Mitchell, com nossa ajuda, era necessário consultar a comunidade do Cantagalo para saber se ela realmente queria fazer parte desse processo de regularização fundiária. Mais. Era necessário que a decisão fosse tomada de modo consciente e informada, estando todos bem cientes dos ônus e dos bônus decorrentes de sua decisão.

Diante disso, imbuídos do espírito de gestão democrática, trazido pelo Estatuto da Cidade, foram realizadas reuniões e assembleias explicativas das quais, após restarem vencidas as desconfianças iniciais, foi extraído o necessário consentimento para o início dos trabalhos, inclusive, como soubemos depois, sem contato direto dos líderes do tráfico que então dominavam o vazio deixado pelo poder público na comunidade do Cantagalo.

Estando devidamente autorizados pela população, de quem colhemos, individualmente, centenas de procurações *ad judicia*, pois Paulo Rabello de Castro fazia questão dessa manifestação pessoal dos moradores, todos assinando, corremos atrás da captação dos recursos para realizar o levantamento topográfico, bem como para o cadastramento socioeconômico da comunidade do Cantagalo.

A solução para esse entrave inicial partiu de Paulo Rabello de Castro, que, ciente do perfil inovador de Jorge Gerdau, pediu a elaboração de uma proposta para a captação de recursos junto ao Instituto Gerdau. Minutei a referida proposta na madrugada de sexta para sábado, quando então ela foi revisada pelo Guto e enviada ao Paulo, que viajaria a Porto Alegre, na semana seguinte, para explicar o projeto pessoalmente ao Dr. Jorge.

Semanas depois recebemos, para nosso alívio, a resposta positiva do Instituto Gerdau e passamos à próxima etapa: contratação dos prestadores de serviço de topografia e de cadastramento socioeconômico, novamente algo estranho ao escopo de trabalho de uma firma de advocacia. Por indicação do Rafael Mitchell, sócio principal do escritório Gorayeb & Mitchell e nosso colíder jurídico no projeto com o Guto, iniciamos as tratativas com o arquiteto Márcio Roberto, para coordenar a equipe de topógrafos e promover o mapeamento de toda a comunidade, com as ruas, edificações, os equipamentos públicos e terrenos baldios, bem como para elaborar a planta baixa de cada residência e fazer o mapeamento das propriedades formalmente registradas no Registro Geral de Imóveis competente e na Prefeitura da Cidade do Rio de Janeiro.

Por minha indicação, iniciamos os entendimentos com o Instituto Brasileiro de Pesquisa Social (IBPS), presidido por Geraldo Tadeu, que fora meu professor na faculdade de direito, para promover o censo de todos os moradores titulares de posse, bem como para recolher informações socioeconômicas da comunidade do Cantagalo, de acordo com o questionário que teve como base o que era utilizado pelo Iterj.

com algumas importantes alterações de nossa parte e dos clientes moradores da comunidade, que também foram consultados previamente.

Ao final de duras rodadas de negociação, em que buscamos a redução ótima dos preços dos consultores, fechamos os contratos e partimos para os trabalhos de campo, onde novos desafios ainda nos aguardavam. O primeiro grande problema enfrentado foi definir qual seria o conceito de residência que seria adotado para tornar determinado morador elegível ao nosso cadastramento, tendo em vista a existência de imóveis multifamiliares na comunidade. Não era questão fácil. Fomos alertados pelo Cláudio Napoleão, coordenador da equipe de moradores locais, esses especificamente contratados e treinados para o cadastramento socioeconômico do IBPS, que muitas pessoas, na esperança de ser tituladas futuramente, estavam informando aos cadastradores que também eram "proprietárias" do imóvel em que residiam, de modo que havia o risco de um mesmo imóvel ter mais de um possuidor aparente.

Uma reunião de emergência foi marcada e ficou decidido que a unidade residencial que seria cadastrada deveria ter entrada e saída independentes e uma cozinha, por menor que fosse, excluindo do cadastramento os quartos ou cômodos ocupados precariamente por determinada família como unidade residencial autônoma.

Outro problema que surgiu ao longo do trabalho de campo foi a dificuldade de informar o progresso dos trabalhos aos nossos clientes e de mantê-los mobilizados para o sucesso do projeto, tendo em vista que precisaríamos não só que respondessem ao questionário do IBPS, mas que também trouxes sem documentos de identidade e que comprovassem o seu tempo de posse. Diante disso, tivemos de, primeiramente, reorganizar e modernizar os arquivos da Associação dos Moradores do Cantagalo, que vinha fazendo, havia algum tempo, o registro precário das cessões dos direitos de posse na comunidade. Novas pastas foram abertas, individualmente para cada elemento cadastrado, a fim de ser aí arquivada a enxurrada de documentos que seria entregue por exigência da legislação do Estatuto da Cidade. Não admira que nenhum morador irregular do Rio de Janeiro tivesse, antes de nós, se aventurado a preencher tantos requisitos de informação.

Por orientação insistente do Paulo, relançamos o jornal comunitário *Canto do Galo*. Paulo escolheu Cláudio Napoleão, estudante de jornalismo e morador influente no Cantagalo, para editar o jornalzinho, pois assim ficaria mais autêntico em sua forma de expressão. Isso exigia, no entanto, uma intensa revisão final, por meio da qual passávamos as informações sobre o projeto e abríamos espaço para a circulação de notícias comunitárias e para anúncios do comércio local. Além disso, mantivemos a prática de assembleias regulares na Associação de Moradores quando o tema requeria tal nível de deliberação.

Não bastassem essas lutas, o projeto enfrentou forte resistência daqueles que lucravam com a informalidade existente dentro das comunidades carentes e que possuem inúmeros imóveis no Cantagalo. Essa minoria ruidosa tinha medo de que, com a titulação dos imóveis, eles passassem a ter de pagar imposto de renda, IPTU e energia elétrica, além de não receber o título definitivo, no caso, por possuir mais de um imóvel. O receio deles era tão grande que passaram a difundir, à boca pequena, que o Bezerra, presidente da Associação de Moradores, estaria "vendendo o morro pros home". Os *home*, entende-se, seríamos nós.

Diante dessa informação, Bezerra e Cláudio Napoleão nos procuraram e, fazendo uso de toda a sua experiência e diplomacia política, convenceram o então "poder" da favela de que a regularização fundiária era a melhor coisa para a comunidade e que quase cem por cento dos moradores bancavam o projeto, como, de fato, era a mais pura verdade. O "chefão" consentiu no prosseguimento dos trabalhos. Bezerra habilmente vencera por seu notável equilíbrio *zen*.

Todavia, a oposição minoritária persistia e, mesmo após reuniões explicativas, não arrefecia. Isso só veio a acontecer quando, finalmente, o Estado do Rio de Janeiro alterou a sua Constituição e legislação complementar para permitir a entrega dos títulos de propriedade, assim demonstrando que a regularização fundiária se tornara inexorável.

No âmbito do levantamento topográfico, também tivemos entraves que precisaram ser superados. O primeiro deles foi pela necessidade de encontrar um escritório local para albergar a equipe de topógrafos e o seu arquiteto líder, considerando-se as severas restrições orçamentárias que enfrentávamos. Após longa procura, conseguimos que o Solar Meninos de Luz nos cedesse gratuitamente uma sala em sua sede situada no sopé do Cantagalo, onde os trabalhos de arquitetura e topografia puderam ser desenvolvidos.

Tudo parecia em ordem até que começamos a cruzar os dados iniciais obtidos pela equipe de topógrafos com as informações cadastrais recolhidas pelo levantamento socioeconômico do IBPS. No afã de completar rapidamente o trabalho havíamos cometido o erro de enviar a campo uma turma de cadastro dissociada da equipe de topografia, tendo, ambos, utilizado, para controle de seus registros, o endereço oficioso informado pelos próprios moradores. O caos não podia ser maior. A título de exemplo, o compositor Custódio Mesquita dá nome a três ruas distintas e em trechos diferentes e, para agravar o quadro, numa mesma rua pode existir um mesmo número para várias casas, inclusive em lados diferentes, inexistindo o conceito de lados pares e ímpares.

O cenário nada alentador, aliado ao fato de que a regularização oficial dos logradouros ainda iria demorar muito a acontecer, nos motivou a criar um novo modelo de identificação de cada unidade residencial, de modo que a cada código correspondesse somente uma unidade residencial em toda a comunidade.

Assim, com o esboço preliminar do mapa da comunidade dividido em suas sete sublocalidades,* foi desenvolvido um código que conferiu extrema segurança e confiabilidade aos nossos dados. O código iniciaria com a primeira letra da sublocalidade, em que o imóvel estivesse situado, seguido de uma numeração sequencial iniciada em "1", que é reiniciada em cada sublocalidade. Além disso, para facilitar a visualização e compreensão do mapa geral da comunidade, foi adicionada a letra "P" ao final das construções que representassem mais de uma unidade residencial. Definido isso, passei, em conjunto com a então estagiária Flávia Meslin, duas semanas dentro do Cantagalo corrigindo e compatibilizando os cadas-

---

* Quebra Braço, Nova Brasília, Igrejinha, Buraco Quente, Caixa D'Água, Terreirão e Associação.

tros do IBPS. Posteriormente, foram necessários vários dias, várias noites e madrugadas para que Flávia Meslin e eu conseguíssemos corrigir o banco de dados do IBPS e integrá-lo ao levantamento topográfico. Ao fim todo esse trabalho hercúleo, veio a certeza de que nossos dados eram, afinal, bastante confiáveis e refletiam a realidade do Cantagalo à época.

Paralelamente, foi iniciada a pesquisa fundiária por meio da constante peregrinação ao Cartório do Registro Geral de Imóveis competente, às secretarias municipais de Urbanismo e de Habitação e ao Instituto de Terras do Estado do Rio de Janeiro (Iterj). Descobrimos, assim, o verdadeiro mosaico de proprietários formais das terras ocupadas pela comunidade do Cantagalo, indo de terras públicas a terras privadas, passando por terras devolutas e terras da Cehab, demandando, cada uma delas, uma solução jurídica diferente.

De posse dos resultados da pesquisa socioeconômica, do levantamento topográfico e da pesquisa fundiária, ficou definida pelo grupo a estratégia jurídica para obtenção do título de propriedade plena e começamos as negociações com o poder público. Fomos inicialmente recebidos com desconfiança pela burocracia estatal, que acreditava que nossa iniciativa teria algum fim eleitoral escondido, ou então, pior ainda, poderia ter conotação comercial. Seríamos, quem sabe, representantes de algum megaespeculador imobiliário, pela novidade do Projeto Cantagalo e nossa insistência em perseguir objetivos, algo que normalmente indica uma motivação insuflada por muito dinheiro. Afinal, que outra motivação poderia ter aquele grupo conduzido por um conhecido economista, identificado na praça por suas suspeitas ideias liberais?

Mas, do lado de lá, a burocracia também deixava marcas de suspeição, pelo desaparelhamento dos órgãos responsáveis pelo processo de regularização fundiária e pela falta de articulação entre as esferas municipal e estadual. O Iterj não se comunicava devidamente com a Secretaria Municipal de Urbanismo e vice-versa, um fenômeno considerado normal nas burocracias do mundo inteiro, mas gravoso para nossos objetivos, pois as conversas tinham de ser seguidamente repetidas.

Mas vencidas as desconfianças iniciais, de parte a parte, por meio da demonstração da seriedade do nosso trabalho, nos colocamos como ponte entre as esferas de governo e levamos à pauta de discussão o tema da titulação por meio da propriedade plena, antes encarado como verdadeira heresia.*

Para poder explicar nosso objetivo a quem decidia, elaboramos um memorial com a nossa tese da titulação por meio da propriedade plena e o apresentamos à então procuradora-geral do Estado, Lúcia Leia, que disse não se opor à nossa tese. Isso nos animou muito. Sentimos haver eco na área jurídica do estado.

Mas, diante da inércia estatal, que demorava a dizer se a titulação plena era afinal viável ou não, Paulo acabou batendo o martelo: pediu que ingressássemos com a ação de usucapião especial urbana coletiva em face da Cehab, que já estava pronta, apenas aguardando uma decisão política de ir em frente. Nessa ação em face da Cehab, mais de um ter-

---

* Lembro-me de que certa vez, durante uma reunião, determinado funcionário, cujo nome omito para evitar constrangimentos, disse que a nossa proposta era tão absurda que ele seria preso caso concedesse o título de propriedade plena.

ço dos residentes do Cantagalo terá o título de propriedade, enquanto os demais aguardarão outras providências legais do Estado. Estamos convencidos, desde então, de que, embora não abarcando a totalidade dos moradores, essa estratégia de provocar a reação positiva do Estado, apressando-o a agir, dará a titulação plena a todos os moradores elegíveis.

Com isso em mente, marcamos uma reunião com o vice-governador Luiz Fernando Pezão e com o secretário estadual de Habitação, Leonardo Picciani, no Palácio Guanabara. Os presentes imediatamente aderiram ao nosso discurso. Todavia, a burocracia intermediária ainda se mostrava resistente à implementação da ideia de outorga da propriedade plena. Foi aí que marcamos a reunião que mudou o rumo não só do Projeto Cantagalo, mas de qualquer outro processo de regularização fundiária em terras públicas do Estado do Rio de Janeiro. Pedimos um encontro com o governador Sérgio Cabral, no Palácio Laranjeiras, para afinar o discurso e expor que, apesar da concordância da sua cúpula, as bases do governo ainda não estavam trabalhando para dar o título de propriedade plena. Diante dessa evidência, o vice-governador se deu conta de que algo precisava ser mudado. Dito e feito. Poucos meses depois daquela reunião, veríamos aprovadas pela Assembleia Legislativa, em tempo absolutamente recorde, sob a segura condução do chefe da Casa Civil, Dr. Régis Fichtner, e com alguns comentários nossos, a Emenda à Constituição do Estado do Rio de Janeiro nº 42/09 e sua respectiva Lei Complementar Estadual nº 131/09, passando a permitir a outorga da propriedade plena, por meio da doação ou da venda facilitada.

Encerramos o ano de 2009 com o sabor da vitória em nossa boca e aguardando que o poder público implantasse os termos da nova lei.

Em 2010, definido que a titulação da comunidade do Cantagalo seria a primeira a ser efetuada no estado por meio de doação, foi aprovada a lei que concedeu isenção do Imposto sobre Transmissão Causa Mortis e Doação de Qualquer Bem ou Direito (ITD) para as doações realizadas no âmbito dos processos de regularização fundiária, bem como foram elaboradas e aprovadas, pela Procuradoria Geral do Estado, as minutas das escrituras de doação que seriam utilizadas posteriormente. Por fim, o calendário eleitoral de 2010 acabou atrapalhando e atrasando a implantação dos dispositivos da lei ao Cantagalo, embora nos tivesse sido informado que as doações passariam a ocorrer em 2011.

Este ano nos trouxe novos desafios. O primeiro deles diz respeito à necessidade de registro das escrituras de doação junto ao competente Registro Geral de Imóveis, de modo que essa propriedade passe a ser oponível a terceiros, nos termos da exigência legal. As primeiras 44 escrituras foram doadas em abril e, até o momento em que este texto é escrito, nenhuma delas ainda foi levada a registro, seja porque os moradores desconhecem as exigências legais necessárias para transferência de propriedade imobiliária no direito brasileiro, seja porque ainda não foi definido quem ficará responsável por pagar a conta dessas transferências.

Parecem ser infinitas as agruras burocráticas enfrentadas por um novo proprietário mal egresso da informalidade. São custos altos de legalização dos papéis e um rosário de exigências, a maioria das quais não precisaria existir. Quando daremos jeito nisso? Espero que seja ainda na minha geração...

Além disso, no âmbito municipal, em 2011 entrou em vigor um decreto regulando a postura urbanística de todas as comunidades da cidade do Rio de Janeiro, revogando o anterior, elaborado especificamente para o Cantagalo, o que produziu novas incertezas e problemas para os moradores, tendo em vista o início de intensas fiscalizações do órgão municipal, que, mal chegado à comunidade de onde havia estado omisso e ausente havia seis décadas, começou a embargar obras e construções com base no novo decreto.

Com essa mudança, decidida pelo poder municipal, sobreveio novo impasse, dessa vez relacionado à legalização das edificações preexistentes na comunidade do Cantagalo, por meio da obtenção do certificado de *habite-se*, a ser outorgado pela Prefeitura. Sem esse documento, os moradores serão proprietários somente do lote de terra nua por eles ocupado, permanecendo as edificações na ilegalidade.

Dá para perceber que o Projeto Cantagalo, apesar das inúmeras vitórias conquistadas e das vicissitudes superadas, ainda está longe da conclusão por nós traçada, surgindo sempre novas questões que precisarão ser equacionadas e resolvidas. É isso que estamos fazendo neste momento, sempre buscando a melhor solução para nossos clientes — pois assim os tratamos e consideramos, desde o primeiro dia, pelo respeito e admiração que a eles temos — os moradores da comunidade do Cantagalo.

11

As lições da propriedade: De Soto vai ao Cantagalo

RAFAEL BALERONI*

O Projeto Cantagalo tem como principal característica a outorga da *propriedade* aos moradores da favela. Não algum direito limitado sobre um pedaço de terra (ex.: concessão de direito real de uso) ou apenas um reconhecimento da presença física dos moradores em suas moradias (posse). Esse é um traço distintivo do Projeto Cantagalo entre os vários programas de regularização fundiária iniciados no Brasil.

A premissa de obtenção da propriedade não é um mero voluntarismo dos artífices do Projeto Cantagalo. Além de ser um direito mais robusto do que suas alternativas, capaz de criar incentivos desejáveis para os moradores e consequências positivas para a vizinhança, a outorga da propriedade significa o reconhecimento de que os moradores da favela do Cantagalo têm tantos direitos quanto os do asfal-

---

* Advogado associado a Souza, Cescon, Barrieu & Flesch Advogados. Mestre em direito internacional (Uerj, 2009) e LL.M. pela Universidade de Chicago. Colaborador do Projeto Cantagalo.

to. É um grande passo para a *redução da dicotomia entre morro e asfalto*.

Ora, se o vizinho de Ipanema possui a propriedade de seu apartamento devidamente registrada no Registro Geral de Imóveis e é titular de todos os direitos e todas as faculdades decorrentes, por que não pode o morador do Cantagalo ser também proprietário de sua moradia? Conceda-se: os moradores, ou predecessores desses, são originalmente invasores de propriedade privada ou pública. Entretanto, lá vivem, sem oposição, há tempo mais do que suficiente para caracterizar a aquisição de propriedade por meio de usucapião.

Usucapião corresponde a uma forma de aquisição da propriedade por meio do exercício da posse pacífica sobre o bem, por um determinado período de tempo. Corresponde a um favorecimento da lei a quem de fato utiliza uma propriedade em desfavor do dono omisso e busca incentivar o efetivo uso de uma propriedade. Isto é, favorece a destinação à produção de riqueza ou uso como moradia em desfavor da pura e simples titularidade sem, ao menos, o exercício efetivo desta, através da vigilância do bem. Esse é o mecanismo legal sob o qual se funda o Projeto Cantagalo. Um direito que todo mundo tem.

Mas nada é simples. No caso do Projeto Cantagalo, além de áreas sujeitas ao regime de usucapião — terras de propriedade de prédios vizinhos ao morro e terras da Cehab — também áreas não sujeitas à usucapião estavam presentes no espaço ocupado pelos moradores. São terras de propriedade do Estado do Rio de Janeiro, as quais a Constituição federal afirma não estarem sujeitas a usucapião.*

---

* Art. 182, §3º. Os imóveis públicos não serão adquiridos por usucapião.

Se não se pode adquirir por usucapião contra o Estado, conceitualmente, nada impede que o Estado se coloque a favor da aquisição de terras por essas pessoas. Mas a Constituição do Estado do Rio de Janeiro impedia a doação de terras públicas pelo Estado do Rio de Janeiro.* Mais um obstáculo. Após negociações políticas e grande visão de Estado pelo administrador público, detalhadas em outro lugar deste livro, o Governo do Estado do Rio de Janeiro se colocou a favor da outorga de propriedade, se empenhou e fez aprovar, pela Assembleia Legislativa, emenda à Constituição permitindo a doação de terras pelo Estado do Rio de Janeiro para fins de regularização fundiária, posteriormente regulamentada pela Lei Complementar nº 131 de 2009.

Usucapião e doação. Esses são os dois principais instrumentos legais para que os moradores do Cantagalo obtenham propriedade. Para que moradores do morro obtenham o mesmo direito patrimonial que os moradores do asfalto. Que tenham o mesmo tipo de instrumento viabilizador do *direito à moradia*.

A propriedade nada mais é do que um mecanismo para concretizar um direito mais amplo, fundamental e universal de todos os seres humanos, previsto em convenções internacionais, na Constituição federal e integrante do mínimo existencial. Uma vez que nosso objetivo aqui não é detalhar aspectos da filosofia do direito, é suficiente dedicar umas poucas linhas para demonstrar que duas das principais vertentes de filosofia jurídica quanto às concepções de vida so-

---

* Essa, aliás, era a razão pela qual as autoridades do Rio de Janeiro outorgavam direitos limitados de propriedade para os moradores de favela.

cial concordam existir um mínimo de direitos necessários para que os seres humanos possam viver com dignidade.

De um lado, a linha individualista e liberal representada por John Rawls.* Esse autor defende a tese de que uma concepção de justiça social só é possível se nos colocarmos em uma situação hipotética na qual não sabemos qual papel teremos na sociedade (véu da ignorância). Como resultado, o acordo social nesse momento será, principalmente, de regras formais, defendendo um mínimo para cada um garantir a própria inviolabilidade pessoal — o mínimo social, um pressuposto obrigatório para que possamos gozar de nossas liberdades e das oportunidades criadas pelas diferenças sociais.

De outro lado aparece Michael Walzer, como representante da linha comunitarista.** Diferentemente de Rawls, Walzer defende a tese de que é possível que cada comunidade defina um conteúdo mínimo material (não procedimental) comum ao grupo. Além disso, não haveria universalidade nesse consenso, pois ele decorre de valores compartilhados em cada comunidade. Defende o autor a ideia que os bens sociais de cada "esfera" devem ser distribuídos de acordo com três critérios para que possa haver uma sociedade justa — dinheiro (livre mercado), mérito e necessidade. Mas ele pressupõe, entretanto, um mínimo de bens sociais que devem ser distribuídos sem critério — alguns direitos básicos — para que o indivíduo possa ser membro de uma comunidade.

---

* Seus dois principais livros relacionados com a ideia de mínimo existencial são *Uma teoria da Justiça*, de 1971 (São Paulo, Martins Fontes, 2008) e *Liberalismo político*, de 1992 (São Paulo, Martins Fontes, 2011).
** Seus dois principais livros são *Spheres of Justice*, de 1983 (São Paulo, Martins Fontes, 2003) e *Thick and Thin*, de 1994.

O direito à moradia claramente se apresenta como parte desse mínimo para que as pessoas possam vivem com dignidade. Convenções internacionais variadas são evidência disso. Um dos documentos fundamentais do direito internacional dos direitos humanos, o Pacto Internacional sobre Direitos Econômicos, Sociais e Culturais, de 1966, adotado pelo Brasil em 1992,* prevê em seu artigo 11 o direito à moradia. Entre outros aspectos reconhecidos pela Organização das Nações Unidas, o direito à moradia inclui garantia de continuidade e proteção legal contra remoções forçadas ou outras ameaças. Deve ser moradia *adequada*, que corresponda a mais do que quatro paredes e um teto.

Além disso, nossa Constituição federal o prevê no artigo 6º como um dos direitos sociais de todos os brasileiros, cabendo a todas as esferas de governo promover programas de construção de moradias e melhoria das condições habitacionais.** Diversos são os caminhos pelos quais se pode atingir o direito à moradia dos brasileiros, em particular os moradores de favelas. É claro que obras de urbanização melhoram as condições de habitabilidade. Mas a garantia contra remoções por qualquer razão, associada com a garantia de receber justa indenização em caso de desapropriação — como qualquer outro cidadão —, é fundamental para que se atinja apropriadamente o direito à moradia. Tal garantia é atingida, da forma mais plena, pela propriedade sobre o terreno e a casa que lhe está em cima. Além de conferir garantias legais, a propriedade cria também incentivos e consequências positivas para os mora-

---

* Ratificado por meio do Decreto Legislativo nº 226(1), de 12 de dezembro de 1991, e promulgado pelo Decreto nº 591, de 6 de julho de 1992.
** Art. 23, IX, da Constituição federal.

dores de favelas. E reconhecer a propriedade dos moradores de favelas, onde estão, traz também vantagens práticas sobre as alternativas de dar direitos limitados ou mover as pessoas para conjuntos habitacionais em lugares distantes.

Se outros direitos estão disponíveis, por que a ênfase do Projeto Cantagalo na propriedade? O autor peruano Hernando de Soto* apresenta seis razões para isso, que chama de "os efeitos da propriedade":

1) Estabelecer o potencial econômico dos ativos

O registro de qualidades essenciais sobre um ativo faz com que um imóvel possa ser concebido de forma abstrata e conceitual, de maneira que pessoas interessadas nele possam identificar seu potencial econômico. O registro do imóvel apresenta qualidades econômicas e sociais que atribuímos a ele. Uma casa não serve apenas como abrigo das forças naturais, mas também de endereço para cobranças, garantia para empréstimos, investimentos etc.

2) Integrar informação dispersa em um único sistema

O sistema de registro de imóveis permite a concentração de informação, de forma padronizada, em um único local. Na

---

* Hernando de Soto, *The Mistery of Capital*, Londres, Black Swan, 2001, pp. 47-61. Alerte-se que não se desconhecem críticas a De Soto, em particular por talvez exagerar as vantagens, sem considerar desvantagens ou contextos alternativos onde tais vantagens são menos importantes. Veja-se, por exemplo, Carmen Gonzalez, "Squatters, Pirates and Entrepreneurs: is informatility the solution to urban housing crisis?", *Interamerican Law Review*, vol. 40, nº 2 (2009).

sua ausência, a caracterização de um imóvel precisa ser feita de acordo com suas características físicas observáveis apenas com a presença no local e por meio de relatos de pessoas. O registro permite obter informações padronizadas, sem, efetivamente, alguém precisar visitar o imóvel. Isso facilita sua avaliação e percepção de oportunidades por um grupo maior de pessoas, não apenas pelo proprietário, seus conhecidos ou vizinhos. Dessa forma, mais pessoas podem usar sua engenhosidade para agregar valor ao imóvel.

3) Tornar as pessoas responsáveis

O direito de propriedade garantido pela lei faz com que as pessoas não precisem mais contar com seus vizinhos ou conhecidos para garantir seus direitos sobre o bem. Em contrapartida, precisam se identificar para o sistema formal de propriedade. Isso elimina seu anonimato e permite que sejam localizadas e responsabilizadas mais facilmente por seus atos. Não é mais tão simples consumir serviços públicos sem pagar por eles, usufruir de uma moradia sem pagar impostos ou descumprir acordos e se tornar inacessível. Assim, o direito de propriedade incentiva as pessoas a obedecerem à lei, sob pena de poder perder sua propriedade. Isso também faz com que contrapartes contratuais levem-nas mais a sério, pois possuem algo a perder em caso de descumprimento.

4) Tornar os ativos abstratos

A descrição padronizada permite que os ativos, por intermédio de suas representações, sejam abstratamente considerados para analisar-se a viabilidade de negócios e atividades econômicas. Podem ser combinados, separados, divididos ou comparados, no papel apenas. Os ativos podem também ser mantidos íntegros fisicamente, embora legalmente separados, de diversas formas: condomínio, investimento em uma empresa, que é dividido em ações, separação da superfície em diversos níveis etc. Isso permite a diversificação de investimentos e maior capacidade de captação de recursos lastreados no mesmo imóvel.

5) Conectar pessoas

Mais do que apenas proteger a titularidade das pessoas sobre seus bens — afinal, as pessoas são capazes de fisicamente proteger seus bens sem a ajuda da lei, se preciso for —, a propriedade gera fluxo de informação sobre os ativos e seu potencial, tornando seus proprietários agentes econômicos capazes de agregar valor a seus bens por meio do acesso a um grupo maior de pessoas. Por exemplo, a habilidade de contratar legalmente serviços púbicos, obter a entrega de mercadorias em suas casas, fornecer um endereço para contato etc. Novamente, não se trata da mera possibilidade de obter serviços públicos ou de vender seus bens. Há um ativo mercado de imóveis na Rocinha, por exemplo, embora não haja registro de propriedade de suas moradias. Mas se trata de fazer isso legalmente, com pessoas que antes não estavam dispostas a transacionar com um indivíduo que nada tinha a perder.

6) Proteger transações

A existência de um registro das transações imobiliárias fornece segurança para adquirentes e informações sobre eventuais restrições ao uso do imóvel. Isso permite que os imóveis sejam usados mais facilmente como capital.

Além das seis razões apontadas por De Soto, o método de análise econômica do direito explica a formação de incentivos tais que justificam a criação dos direitos de propriedade. De forma sintética, podemos apontar incentivos ao investimento e trabalho, pois se não há direitos de propriedade, um indivíduo pode perder tudo aquilo em que investiu. Por exemplo, moradores de favela, quando desapropriados, recebem indenização pelo custo de construção de suas casas, mas não por outros bens que valorizariam sua moradia (localização, uma vista privilegiada etc.). Isso desestimula investimentos na melhoria de suas moradias, que, de fato, muitas vezes possuem móveis e eletrodomésticos, mas mantendo paredes cruas de tijolos. Afinal, o investimento poderá ser perdido de uma hora para outra, de forma a se tornar um benefício capturado por outras pessoas.

Note-se que a outorga de propriedade e os incentivos em investir e cuidar de sua própria casa trazem consequências positivas para outros sujeitos. Se os moradores da favela passam a ver a moradia como *sua* e se preocupar mais com ela, haverá uma tendência de cuidado maior e de fiscalização da atuação dos vizinhos. Despejo de lixo, condições das moradias e organização urbana são aspectos com potencial de melhoria. A evolução desses aspectos tenderá a valorizar não apenas a comunidade, mas também os prédios que a cercam.

Além disso, com a propriedade, os imóveis se tornam pontos mais simples para cobrança pelo fornecimento de serviços (reduzindo perdas para as concessionárias e gerando redução de tarifas para a área concedida), bem como para a cobrança de impostos, permitindo que governos aumentem sua arrecadação. São *externalidades positivas*, no jargão econômico.

Além disso, o direito de propriedade não impõe restrições. Enquanto alguns direitos limitados são conferidos por prazo certo, a propriedade dura por prazo indeterminado. Isso aumenta a segurança da moradia, especialmente próximo à época em que o direito vai expirar. Direitos limitados frequentemente não podem ser cedidos (ou exigem consentimento de autoridade pública para isso) — isso reduz a mobilidade geográfica do morador e impede a alocação mais eficiente de recursos, entre outras desvantagens. Além disso, direitos limitados frequentemente exigem que o beneficiário permaneça pobre para poder continuar se beneficiando dele. Uma similar condenação à pobreza não existe com a propriedade.

Além de razões legais e econômicas para a regularização via propriedade, algumas razões práticas também recomendam a regularização fundiária via propriedade *na favela*, em oposição à ideia recorrente de se removerem os moradores para outros lugares.

Em primeiro lugar, disponibilidade de terrenos. Amplas extensões de terra que poderiam receber a população favelada não estão facilmente disponíveis e seriam caras. Em segundo lugar, os custos de relocalização. Não basta comprar o terreno, é preciso retirar as pessoas de onde estão e levá-las para o novo lugar onde morarão.

Além disso, há elevados custos sociais envolvidos e uma chance grande de as coisas darem errado. Os moradores criaram, ao logo dos anos, uma rede de relacionamentos pessoais e econômicos em sua vizinhança. Removê-los para um local distante certamente enfrentaria resistências sérias. Além disso, muitas favelas são formadas e crescem como resultado da indisponibilidade de moradia barata, próxima aos grandes centros de empregos de baixa qualificação, associada com um transporte público de massa insatisfatório. Assim, haveria grandes chances de as pessoas voltarem para a região próxima da favela original.

A regularização fundiária de favelas é um dever dos governantes brasileiros, como forma de cumprir a Constituição federal e os tratados internacionais. A propriedade é o direito mais apropriado para tanto, pois não impõe restrições desnecessárias aos moradores, cria incentivos apropriados, tem o potencial de gerar externalidades positivas e libera o potencial de capital que estaria, de outra forma, "morto", na feliz expressão do próprio Hernando de Soto. Além disso, a propriedade é, muitas vezes, o direito legal dos moradores de favela, que já ocupam o local, sem oposição, pelo prazo mínimo previsto na hipótese da usucapião. E, onde sejam invasores de terras públicas, que não podem ser usucapidas, nada impede que o Estado doe suas terras para permitir a regularização (ou que mude a lei para fazer isso, como fez a administração de Sérgio Cabral).

Por isso tudo, o Cantagalo é um projeto de titulação da propriedade sem precedentes no espaço sociojurídico nacional, merecendo ser replicado no Rio, no Brasil e mundo afora.

Quadro descritivo das etapas do processo de regularização fundiária.

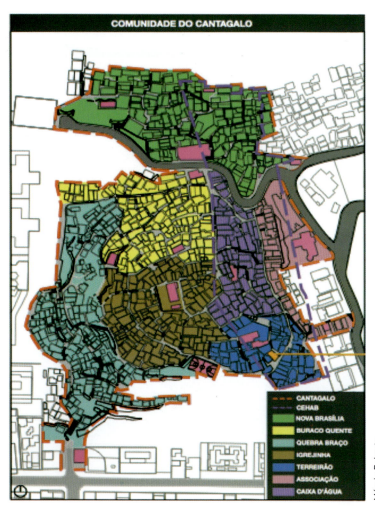

Mapa da Comunidade do Cantagalo com as diferentes sublocalidades que a compõem e a identificação da área pertencente à CEHAB, objeto de ação de usucapião especial urbana coletiva, ajuizada pela Associação de Moradores do Cantagalo.

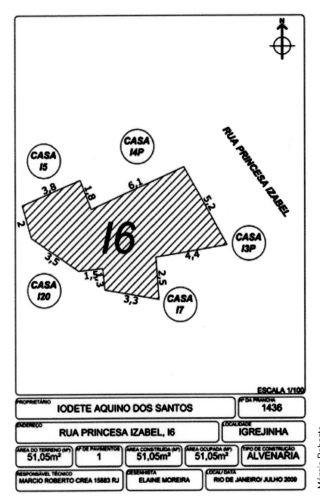

Planta Baixa do Imóvel I6, de Iodete Aquino dos Santos, com a descrição da área ocupada e construída do imóvel, a área do terreno, bem como sua localização na Comunidade do Cantagalo e a de seus confrontantes.

Associação de Moradores – fachada principal.

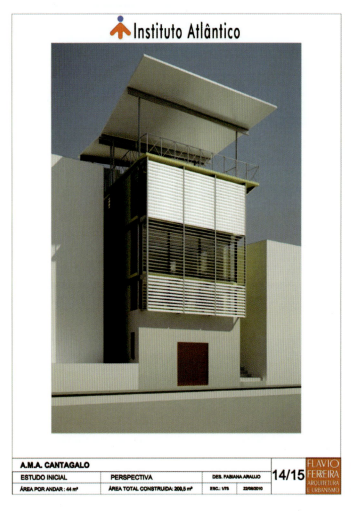

Associação de Moradores - perspectiva.

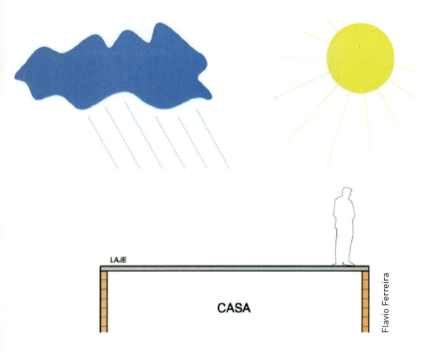

A laje se expande com o calor do sol, se contrai com a chuva fria e então racha, causando infiltrações.

ALUMÍNIO

CASA

Flavio Ferreira

Um teto de alumínio sobre a laje a ensombreia e a protege do sol, evitando rachaduras.

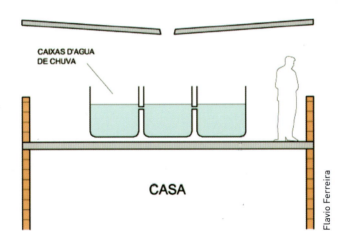

A água que cai no telhado de alumínio pode ser captada para alguns usos e evita enxurradas nas vias de acesso durante as tempestades.

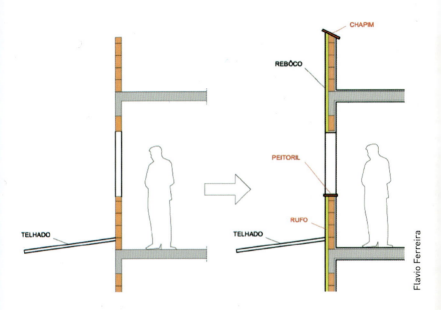

Para evitar infiltrações nas paredes, é necessário colocar chapins no seu topo, peitoris nas janelas e rufos nas junções com o telhado.

Casa com as melhorias descritas.

Casa sem as melhorias descritas, o tipo mais encontrado atualmente nas favelas.

Flavio Ferreira

Pintura *a la* Miró: favela pintada por um artista.
Esta solução pode acontecer pontualmente,
mas não deve ser generalizada.

Pintura *a la* Caribe: demasiado colorida para nossa forte ensolação. É uma alienação cultural que celebra erroneamente *"the colorfull tropics"*.

Pintura branca: demasiado "mediterrânea".

Pintura proposta: cores
pastel, tendência já existente.

Instituto Atlântico

No canto inferior esquerdo, Paulo Senra, assessor da deputada Aspásia Camargo. Atrás dele, Paulo Rabello de Castro, presidente do Instituto Atlântico. No canto superior esquerdo, Carlos Augusto Junqueira, advogado do escritório Souza, Cescon, Barrieu e Flesch. No meio, embaixo, Mário Azevedo, advogado (também do SCB&F) e atrás dele, Rachel Fares, assessora de Aspásia. Ao seu lado, Flávio Ferreira (de barba), arquiteto e diretor do IA. Entre estes dois, Roberto Carvalho, vice-presidente do IA. Do lado direito da foto (com o braço esticado), Claudio Napoleão, diretor da AMA CANTAGALO, e atrás dele (de cabelo branco), Luiz Bezerra, presidente da AMA CANTAGALO. Os demais são moradores do Cantagalo.

12

Fim do mistério no Cantagalo

Luís Erlanger[*]

> *"Verdadeiras montanhas de capital morto se alinham nas ruas de todos os países em desenvolvimento e nações previamente comunistas."*
>
> Hernando de Soto[**]

A informalidade no mundo do trabalho é um fenômeno perverso que prejudica até quem aparentemente se beneficia dela. Discutimos amplamente as suas causas, entre elas a irracional burocracia e a excessiva carga tributária impostas aos empreendedores. E as suas consequências inevitáveis, como o aumento dos impostos (que aprofunda o problema) e, em última instância, o agravamento do déficit público. Veneno alimentando veneno, ainda mais em Estados que gastam mal o que arrecadam — mas esse é outro assunto.

No campo social, comunidades formadas fora do estado de direito comumente viram guetos abandonados pelos go-

---
[*] Jornalista, diretor da Central Globo de Comunicação.
[**] *O mistério do capital*, op. cit., p. 45.

vernos e governados por grupos criminosos. Que, diferentemente dos governos, sabem explorar a economia informal...

O projeto do Instituto Atlântico na comunidade do Cantagalo, no Rio de Janeiro, tira da teoria e aplica no mundo real o pensamento sintetizado em *O mistério do capital*, do economista peruano Hernando de Soto, lançando luz sobre outro aspecto da informalidade, o da propriedade. Uma abordagem que sempre ficou ao largo e cuja superação — nem tão difícil e complicada — traz um gigantesco potencial transformador. Acabar com o "*apartheid* de propriedade", por meio da sua legalização, é uma forma de fazer com que o capitalismo funcione para todos, e não apenas para poucos, gerando inclusão econômica em larga escala.

"O que falta aos pobres são sistemas legalmente integrados de propriedade que possam converter seus trabalhos e poupanças em capital", aponta de Soto. E explica: "Porque os direitos de propriedade não são adequadamente documentados, esses ativos não podem se transformar de pronto em capital, não podem ser trocados fora dos estreitos círculos locais onde as pessoas se conhecem e confiam umas nas outras, nem servir como garantia a empréstimos e participação em investimentos." Como se deduz, ganham os mais pobres e nem por isso os mais ricos perdem. Ao contrário.

Aqui vale um paralelo com os processos educativos. O que a educação confere essencialmente a um indivíduo são autonomia e responsabilidade. Princípios que andam juntos. Da mesma forma, na economia, em um círculo virtuoso, a titulação formal e definitiva de casas em áreas de baixa renda resulta, para os beneficiários (e para o restante da sociedade), não apenas nas vantagens já descritas, mas em maior comprometimento, já que agora essas pessoas têm efetivamente algo a perder. Como observa De Soto, "permitindo às pessoas que vejam o potencial econômico e social dos ativos, a propriedade formal alterou a percepção nas sociedades desenvolvidas não só das recompensas de se usar os ativos, mas dos perigos de fazê-lo. A propriedade legal favoreceu o compromisso".

Não é à toa que os preços dos imóveis legalizados dispararam e que os moradores legais passaram a ser fiscais contra novas ocupações irregulares. Certamente o melhor dos mundos seria a remoção das construções sem autorização, especialmente em área de preservação ambiental. Mas estamos tratando de economia real, e não de milagre.

Beneficiando diretamente 1.400 famílias e, indiretamente, por sua possível reprodução, um número muito maior de cariocas e brasileiros, a iniciativa no Cantagalo representa o que há de melhor na busca de soluções para a nossa complexa realidade. Unindo a capacidade intelectual e de articulação de brasileiros notáveis em uma ação voluntária de vontade política, constitui uma verdadeira parceria público-privada de baixo custo e alta eficácia. Um estímulo à formulação e à realização de políticas de grande impacto, totalmente identificado com os princípios e valores das Organizações Globo, da qual participo.

13

Valor econômico da titulação no espaço urbano integrado

Paulo Rabello de Castro

O Brasil se destaca, na grade mundial das cidades, entre os países de desenvolvimento médio, como o que apresenta os mais altos coeficientes de urbanização em todo o seu território, alcançado pela extrema velocidade da migração rural-urbana ocorrida a partir dos anos 1940. Supera largamente o grau de urbanização de outros países de dimensão continental, como China e Índia. Não obstante o relativo emagrecimento da sua população estritamente rurícola, o Brasil desponta como a agricultura tropical mais forte do mundo, abastecendo plenamente suas cidades e o mundo. Nisso, o Brasil não difere muito da distribuição rural-urbana dos Estados Unidos, outro gigante agrícola.

O resto da América Latina acompanha de perto o fenômeno migratório brasileiro, na direção campo-cidade, ocorrido no meio século do pós-guerra. A decisão de milhões de famílias de tentar a vida na "cidade grande" coincide com outra decisão dos casais, que acabou afetando diretamente o formato da pirâmide etária da população: a redução drástica do número de filhos, ao tempo em que as famílias rurais, agora urbanizadas, deixaram de encarar seus filhos como meros colaboradores precoces da força de trabalho familiar na labuta do campo. O filho deixou de ser encarado como fator de produção e passou a ser um elemento a mais de consumo na cidade. Paralelamente, ocorreu uma elevação paulatina, mas significativa, da renda familiar urbana.

A renda média urbana, apesar de toda a adversidade e pobreza concentrada nas cidades, ainda é mais elevada do que no campo. Na cidade, as oportunidades se multiplicam. Por isso é que os indivíduos decidem abandonar a vida no campo. E assim se passou no Brasil, como, de resto, em todos os países onde a migração rural-urbana foi impulsionada por diferenças significativas de renda pessoal e de oportunidades entre a cidade e o campo. Afinal, esse é o sentido do processo de "convergência de rendas" entre cidade e campo, ou até entre países ricos e pobres, que o cientista social espera constatar ao se tornar mais estreita a distância econômica (custos de transporte, de informação e de legalização) entre um polo mais rico e outro mais modesto.

Os especialistas estimam ocorrer também, dentro das famílias urbanizadas, mesmo nas mais pobres, uma troca intuitiva, mas racional, da decisão de continuar tendo filhos, pela opção de dar mais "qualidade" de vida a cada filho (educação, vestuário, lazer e cultura, com consequente maior dispêndio financeiro por filho). A população de um país, no seu conjunto, começa, então, a amadurecer (a idade média vai crescendo) e, em seguida, a envelhecer no futuro.

Tudo isso se pode constatar no precioso levantamento socioeconômico do Cantagalo,* como se este fora uma espécie de "fractal" da recente história das migrações humanas no espaço brasileiro. A história se repete, onde quer que se vá ao encontro do trajeto de vida do migrante brasileiro. Os homens e mulheres que encontramos em nosso levantamento no Projeto Cantagalo são os próprios migrantes, seus filhos e netos, alguns bisnetos, todos herdeiros da história de esperanças e frustrações da decisão original de vir embora para a cidade, de tentar algo mais arrojado, dando uma nova chance à sorte.

A simplicidade da gente com que, eventualmente, deparamos no Cantagalo, ou em qualquer outra "cidade de chegada" do Brasil, não pode ser lida e mal interpretada como sinal da sua estupidez ou falta de senso na tomada de decisões de vida, especialmente se relacionada a questões que mexem com o bolso de cada um. O cidadão favelado é aquele que enfrentou, em condições espacialmente desfavoráveis, o desafio migratório, ou carrega em si o DNA de quem o fez, anos antes. Nenhum favelado, por menos instruído ou informado que seja (aliás, essa pessoa de fato existe?), será estúpido de jogar fora uma vida inteira de trabalho e sacrifícios imensos de seus pais ou avós. Pelo contrário, o sonho de todos os moradores da "cidade de chegada" é poder ver um dia materializado, em valor tangível e eventualmente negociável, o produto de tanto e tão intenso labor. O fato de a maioria dos favelados, no mundo inteiro, considerar quase inalcançável o seu "dia do reconheci-

---

* O leitor pode acessar o levantamento completo no site do Instituto Atlântico, www.iatlantico.blogspot.com.

mento", a chegada e o alcance da plena cidadania, não significa que esse objetivo, embora sentido de modo distante, não more e viva no imaginário de cada um.

A integração dos espaços urbanos da favela com a cidade formal é, portanto, mera questão de tempo. Pode levar um século inteiro, mas ocorrerá. Se a cidade não carregar a favela para si, então será a favela que engolirá a cidade formal no seu imenso seio contraventor. Os dois processos são possíveis e, em certa medida, ocorrem simultaneamente. Pode-se, com certeza, afirmar que, quando a cultura da favela desce o morro e toma conta da cidade, o asfalto fica menos duro e impermeável e, por isso, mais humano. A fertilização ocorre nos dois sentidos, porque a cidade formal também tem algo para oferecer à cidade informal, além de mercado de trabalho, escolarização e saúde pública. O favelado ambiciona a formalização de seus direitos, admira e inveja a estabilidade jurídica do mundo do asfalto, sonha com o fim da sua própria precariedade, a superação do seu cotidiano do tipo balança-mas-não-cai.

Embora simétricos, os processos integracionistas cidade-favela e vice-versa (e isso é válido na integração cultural de colônias de migrantes em países que recepcionam culturas alienígenas, como fizemos no Brasil, no século XX) não podem jamais perder de vista o que cada parte tem para oferecer como contribuição relevante ao outro lado. Misturar ou inverter tarefas seria contraproducente, quando não simplesmente fatal para a qualidade da integração obtida.

Em termos de expressão econômica, o teste de integração bem-sucedida é aquele em que há claros e evidenciados *acréscimos de valor, medidos em termos de riqueza nova*, para os dois lados. Quando a favela engole a cidade, isso não ocorre. Tratar-se-ia, ainda assim, de uma forma anômala de integração, pelo rebaixamento do valor médio da riqueza dos dois lados da equação, com a favela provavelmente ganhando muito pouco e o asfalto perdendo muito e, na mediana, ambos perdendo. Isso é o que vinha ocorrendo no Rio de Janeiro, no entorno do Cantagalo e, para não ser particularista, na cidade inteira, que passou a absorver as normas precárias da contravenção como "princípio geral de direito", inclusive na vida do carioca do asfalto.

A integração por assim dizer positiva, com evidente e substantiva adição de valor de riqueza econômica e juspolítica para todos, é aquela em que o asfalto, gradual e sustentavelmente, se impõe como modelo, pela adoção, na favela, das normas superiores que a cidade formal pratica em sua organização jurídica e social.

Atenção especial deve ser dada aqui aos advérbios da frase. "Gradualmente" e "sustentavelmente" são as condições ideais do caminho integracionista com acréscimos expressivos de valor, em que o asfalto ganha e a favela integrada à cidade ganha mais ainda. Em todo o percurso da experiência do Cantagalo, foi essa a lição mais importante que aprendemos: nada se deve impor, tudo se conversa e negocia e tudo se aprende ou reaprende, sempre com os olhos pregados nos objetivos previamente traçados, para que nenhuma concessão, de parte a parte, implique desvio empobrecedor da meta mais alta da integração final e absoluta da "cidade de chegada" à cidade formal. Toda política urbana que defina a "cidade de chegada" como favela permanente é um contradesenvolvimento social e urbano. E toda intervenção urbana que pretenda desrespeitar o gradualismo necessário da integração, queimando etapas numa espécie de desespero por resultados finais e imediatos ("a cidade limpa da sujeira da favela"), padecerá de contra-ataques e recidivas da favela sobre a cidade formal, destruindo uma parte importante do valor social que, tão zelosamente, o governante julgava poder alcançar.* Respeitar o tempo da favela como favela é essencial; mas apressar o passo da integração, quando esse tempo chega, também é igualmente prudente na otimização do valor social e urbano da cidade como um todo.

Parece que não só o Cantagalo como o Brasil inteiro estão chegando aos limites de seus tempos ótimos para a integração urbana e social de seus espaços de vivências. Por essa razão me referi ao Cantagalo como um "fractal", ou seja, a porção mínima que expressa a natureza da questão urbana como um todo. O Cantagalo é um microcosmo da revolução rural-urbana ocorrida no espaço nacional brasileiro. O que puder ser feito como acréscimo social e econômico, em termos de valor em riqueza mensurável, no Cantagalo, também o será, de alguma maneira, em todo o país. Daí por que o galo do morro do Cantagalo pode e deve cantar para todo o país. É uma experiência que merece ser imitada, com as adaptações que cada situação particular exigir. Tampouco se trata de uma experiência exclusivamente brasileira, podendo seu traçado conceitual, sua 'tecnologia social de implantação", ser empregado em qualquer outro país, em qualquer outra situação na qual a "cidade de chegada" esteja pronta a se abraçar com a cidade formal.

---

* A experiência da Cidade de Deus, no Rio de Janeiro, e que inspirou o filme de mesmo título, parece invocar as raízes desse desespero oficial por resultados imediatos.

E como sabemos se esse tempo certo chegou?

Duas notícias importantes estão embutidas na constatação de ser o Brasil um país campeão no grau de urbanização já alcançado entre nações em desenvolvimento. Primeiro, essa constatação ajuda a entender melhor por que nossos problemas de habitação e logística urbana se agravaram tão rapidamente nas últimas décadas. Dada a velocidade e intensidade da formação de enormes "cidades de chegada" no Brasil inteiro, o espaço urbano brasileiro, como um todo, certamente piorou em qualidade média, mesmo que os migrantes favelados, por incrível que pareça, estivessem "melhorando". As demandas por mais equipamentos urbanos se intensificaram e os governos locais, em geral, não deram conta do recado. A "coisa" foi se ajeitando. Essa é a má notícia sobre o Cantagalo e sobre o Brasil.

A notícia boa é que esses problemas não precisam continuar se agravando, se houver interesse e decisão política de investir na integração das "cidades de chegada" ao núcleo formal das cidades brasileiras. Dito de outro modo, e bem mais simples, quem tinha de vir do campo para as cidades já veio. E muitos, inclusive, já estão retornando a seus núcleos de origem, agora mais dinâmicos economicamente, e o fazem por opção pessoal, ao perceber que as oportunidades de ascensão econômica em cidades de porte médio, nas suas regiões de origem, estão se abrindo mais rapidamente do que nas metrópoles para onde um dia acorreram milhões de indivíduos na busca de um emprego e elevação social.

O Brasil está, assim, relativamente maduro e bem posicionado para enfrentar a questão urbana do ponto de vista da integração social dos espaços ocupados, visando ao aperfeiçoamento das condições em que hoje vivem mais de 80% da população brasileira.* Outros países de dimensão continental apresentam coeficientes de urbanização muito inferiores aos brasileiros: abaixo de 50% na China e na Índia, por exemplo, o que denuncia o tamanho do desafio de integração populacional e urbana que aqueles países ainda têm pela frente neste século XXI. O Brasil já viu e experimentou a fase pior, em matéria de ruptura do seu tecido urbano. Já viu inchar as favelas e ocupações irregulares, espalhadas literalmente por todas as zonas urbanas e periferias brasileiras. Não estávamos preparados sequer para entender, inteiramente, o que acontecia e por que, como fenômeno social e econômico decorrente da inundação migratória campo-cidade. Havia, inclusive, a denúncia da "expulsão" do campesino pela odiosa e perigosa agricultura "de exportação", que esvaziaria o meio rural, levando a miséria total para as cidades, enquanto as bocas, agora urbanas, ficariam com fome e os pratos de comida vazios por falta dos alimentos, que a terra deixaria de produzir para passar a servir de plataforma exclusiva para a produção agrícola e pecuária exportável.** Hoje em dia, temos a distância temporal para constatar, sem a afobação de construir teorias vazias de dados da realidade, que houve explica-

---

* Nos estados onde o grau de urbanização é mais avançado, como São Paulo e Rio de Janeiro, o coeficiente ultrapassa os 90%, aproximando-se dos índices encontrados em países desenvolvidos e maduros como os Estados Unidos e a Alemanha, por exemplo.

** É historicamente importante rever o conceito da expulsão do homem do campo que foi tantas vezes empregado pela sabedoria convencional do mundo acadêmico, numa época em que não se enxergava ainda com clareza quem operava a transformação campo-cidade. O protagonista era o próprio migrante, como, aliás, faz prova disso a saga da chegada de Dona Lindu, mãe do ex-presidente Lula, com seus filhos, inclusive o próprio, à cidade de São Paulo.

ção racional nas decisões humanas tomadas por indivíduos confrontados com duros desafios. O homem brasileiro se fez na luta. Ricos e pobres se posicionaram. Os pobres não fizeram feio; pelo contrário, deram um *show* de racionalidade diante das adversidades.

A reinterpretação não conspiratória e fabulosa da saga do migrante que virou favelado ou, mais amplamente, um ocupante não regular de espaços urbanos, também nos obriga à revisão de outros conceitos, convencionais em décadas passadas, atualmente meros preconceitos, que já foram acolhidos como verdades consumadas. A imagem do migrante estabelecido na favela como um cidadão prevaricador social, um pária, um contraventor potencial, um estudante da marginalidade, levou uma pesquisadora norte-americana, Janice Perlman, nos anos 1970 — talvez por ter ela a necessária distância cultural — a subir a favela carioca e olhar, sem preconceito, o epifenômeno da cidade formal alargada pela informal. Seu estudo, hoje um clássico, jogou por terra a interpretação convencional do favelado como um marginal, pois envolta em mitos, preconceitos e repulsas sociais mal resolvidas e alimentada, ainda, por teorias acadêmicas redondamente equivocadas.*

Cerca de quarenta anos se passaram desde então. A favela se alargou e a cidade formal encolheu. Mas não é a favela que deve tomar conta da cidade. Ela mesma não quer isso. O Projeto Cantagalo é uma experiência na contramão da tal integração urbana negativa, "de baixo valor adicionado", que

---
* Janice Perlman nos deixou preciosos estudos do preconceito vigente sobre a favela brasileira.

vinha ocorrendo no Rio de Janeiro e em outras cidades, em que o poder público não consegue, simplesmente, entender nem manejar, como transitório que é, o fenômeno da "cidade de chegada", passando a lhe atribuir uma condição de trágica permanência, que aborrece o cidadão do asfalto, mas que prejudica e ofende, principalmente, a inteligência do favelado, como aspirante à ascensão social e urbana. O Cantagalo oferece uma abordagem alternativa à convencional — portanto, a integração positiva — em que a titulação definitiva da propriedade, sem surgir como panaceia na resolução de todo e qualquer problema da cidade partida entre asfalto e morro, se apresenta como a ferramenta mais prática, mais barata e mais estimuladora da aproximação com *alto valor adicionado de riqueza*, para os dois lados da equação urbana. Como já se disse, o momento de fazer isso, otimizando-se valor e riqueza patrimonial social, é aquele em que a avalanche rural-urbana já começa a se acomodar na planície. Ninguém de bom senso se atreve a tentar construir barreiras para conter grandes deslocamentos de terra. É melhor acomodar o que acontece, depois que acontece. Mas também é importante agir rapidamente, no momento certo. E esse momento chegou para o Brasil, não só para o Cantagalo.

A titulação da propriedade, apesar de não ser remédio para tudo, é um ótimo mecanismo criador de riqueza, sem prejuízo para outras partes ou efeitos colaterais indesejáveis. A propriedade titulada é o maior e mais potente mecanismo de distribuição de riqueza, não só de rendas, como tem sido feito, aliás, com sucesso, em programas como Bolsa Família e similares. Não obstante o alto poder de acomodação social, por inclusão no mundo do consumo, por programas assistenciais de transferência de renda, nada há de comparável, em termos de criação de estoque novo de riqueza e de empoderamento político, à titulação da propriedade, hoje precária, do cidadão ainda sem reconhecimento do que, de fato, é seu.

Temos condição de evoluir mais rapidamente, no Brasil, na adoção de novas estratégias sociais, que integrarão com sucesso as áreas de ocupação irregular à cidade formal e que transformarão, gradualmente, o espaço da favela em área urbana regular, embora lhe garantindo a preservação de certas características arquitetônicas e de adensamento construtivo, não encontradas no "asfalto" regular. O meio de fazer isso, com sucesso, é através da leitura correta do sonho do cidadão da favela. Ele quer existir plenamente, requerendo da sociedade o reconhecimento e a disponibilidade de suas posses, duramente conquistadas. Não é por um pedaço de papel qualquer. É o título, a matrícula no registro de imóveis, o choque de cidadania e o salto de riqueza que se fazem acompanhar à política de titulação ampla e irrestrita.

Qualquer que seja a estratégia buscada, existe um parâmetro de avaliação de eficácia que permanece imutável: nenhuma estratégia sustentável será aquela que destruirá valor na favela; a estratégia vencedora será sempre aquela que convencer os próprios endereçados, sobre a superioridade de seus efeitos no bolso do cidadão e dos seus vizinhos no morro e no asfalto, e cujos efeitos possam ser claramente percebidos e contabilizados como riqueza nova.

14

Favelas: os próximos passos, na visão do arquiteto

FLÁVIO FERREIRA*

O estigma que acompanha as favelas vem de mais de cem anos. Achava-se que elas eram um "acidente de percurso", meros reflexos da incapacidade governamental de lidar com o déficit habitacional. Com o tempo, em virtude da pesquisa sobre habitação em todo o mundo, que as classificou como "parte da solução", e não como "parte do problema" habitacional, e pelo acúmulo de experiências malsucedidas de remoção e construção de conjuntos habitacionais, a maneira como vemos as favelas foi mudando.

Estudiosos, intelectuais, artistas e parte da população foram reconhecendo aos poucos a perenidade arquitetônica dessa forma de cidade singular que são as favelas. Hoje, elas até fazem parte de roteiros turísticos. Já eram, havia muito tempo, parte da cultura carioca. Mas o estigma ainda persiste e às vezes aparece revigorado, sobretudo em tempos de violência como os que o Rio está vivendo. Na

---

* Arquiteto, professor titular da FAU/UFRJ e diretor do Instituto Atlântico.

guerra urbana, quem mais sofre são as próprias favelas e seus moradores, também porque se aprofundam as visões negativas sobre ambos.

As favelas ainda são vistas como manchas feias na bela paisagem carioca. Serão? Imagine dois Rios de Janeiro. O primeiro, só com a cidade formal, que cobre a quase totalidade da área metropolitana, mas sem favelas. A cidade formal destruiu a quase totalidade da paisagem natural: engoliu belos areais, pântanos, demoliu morros, aterrou o mar e também derrubou florestas. Seus "espigões" e a maioria de seus edifícios não contribuem para a beleza do nosso sítio, tapando a relação entre o mar, a planície e a montanha.

Imagine agora um segundo Rio de Janeiro, só com as favelas. Embora abriguem mais de um milhão de habitantes, elas ocupam menos de 4% da área urbana. Sua textura, embora densa, não quebra a linha dos morros e da paisagem. As favelas, se são feias, é porque inconclusas e sujas. Limpas e concluídas, serão semelhantes a belos lugares como as pequenas cidades do Mar Egeu e do Mediterrâneo, as vilas turcas, as aldeias portuguesas, as cidades medievais europeias. O reconhecimento da favela como parte da cidade resultou em projetos governamentais como o Favela-Bairro. Esses projetos tratam das áreas públicas (que somam menos de 15% de sua área), da infraestrutura, e também estabelecem cooperações para o desenvolvimento econômico e social.

Entretanto, nenhum dos projetos governamentais sequer tocou na maior e mais importante estrutura da favela: seu volume construído, que abrange mais de 85% de sua área.

Esse outro trabalho trata da melhoria das habitações das favelas, que ocupam mais de 85% de suas respectivas áreas, do ponto de vista da higiene e do conforto ambiental, e aborda também a arquitetura das favelas ao reconhecê-las como vernáculas, de grande riqueza e qualidade formal e com imensas potencialidades plásticas.

A medida mais importante a ser tomada sobre esse majoritário volume construído é cedê-lo, legal e definitivamente, aos seus respectivos donos.

Os benefícios de serem os moradores plenos proprietários de suas casas estão abordados devidamente em outros capítulos deste livro. Salientamos aqui que há consenso mundial sobre esse tema entre os especialistas. Um deles é que com a propriedade plena há uma forte tendência dos moradores de investirem mais na melhoria de suas casas. E como nós, arquitetos, podemos contribuir para essas melhorias? O método começa por dialogar com os moradores, a partir de propostas concretas.

Entendemos que um dos principais problemas das habitações faveladas é a umidade e o mofo de seus interiores, ocasionados por goteiras e infiltrações nas paredes e nos muros de arrimo. Outro problema é que, ao contrário da cobertura vegetal de encostas e planícies de inundação, a favela não retém as águas pluviais, causando enchentes a jusante durante as grandes chuvas.

Nossa proposta resolve esses dois problemas, à primeira vista não interligados.

Goteiras e infiltrações nos tetos das habitações/ captação de água da chuva

As lajes, expostas a grandes mudanças de temperatura (sol x chuva; dia x noite), dilatam-se e retraem-se causando rachaduras.

Os usuais métodos de combater essas rachaduras, como impermeabilizações com filmes, requerem cuidados demasiadamente delicados e, ainda assim, não são satisfatórios. A boa solução já se encontra em algumas edificações das favelas cariocas: uma cobertura leve, de alumínio, a cerca de dois metros acima da laje do teto. Essa cobertura sombreia a laje, diminuindo suas dilatações, e a protege do sol e da chuva. Assim, a laje de cobertura pode ser usada pelos moradores durante a noite, pois durante o dia é muito quente.

A chuva que cai nessa cobertura é coletada para caixas d'água situadas na laje superior da casa e pode servir para descargas de privadas, lavagens de pisos e rega. Mais importante é que essa captação retém a água pluvial no pico da tempestade, evitando enxurradas e enchentes na favela e a jusante.

Infiltração nos muros de arrimo

É necessário construir paredes levemente distanciadas dos muros de arrimo, impermeabilizadas por dentro, e captar as águas infiltradas entre os muros de arrimo e essas paredes.

Infiltração nas paredes

As alvenarias das casas das favelas estão, na sua maioria, sem reboco ou qualquer proteção contra a chuva. As janelas e os respaldos das paredes estão também sem proteção. É necessário rebocar e pintar as paredes, proteger seus respaldos com chapins, instalar peitoris nas janelas e nos rufos.

Mas de que cor devem ser pintadas as favelas?

As casas nas favelas podem ser pintadas. Primeiro, porque a pintura é parte importante da impermeabilização das paredes. Segundo, porque a pintura confere identidade a uma casa e a valoriza afetivamente. Com as paredes protegidas pelos reparos citados antes, a tinta será duradoura. Mas... como deveriam ser pintadas as casas?

- À MIRÓ?

Uma das possibilidades é encarregar artistas de fazerem essa definição. Cada intervenção seria exclusiva e com a concisão necessária à obra de arte. Mas esse encaminhamento já foi criticado nos anos 1950 pelos próprios moradores de favelas ("Favela amarela, ironia da vida/ Pintem a favela, façam aquarela da miséria colorida"...). A questão é mesmo delicada: por um lado, as casas são dos moradores; por outro, as favelas contam na paisagem e na estrutura espacial da cidade e, por isso, interessam a todos. Favelas "pintadas por artistas" devem ser pequenas exceções, e não a regra.

• À CARIBE?

Alguns países do Caribe erraram ao se tornar excessivamente coloridos, e o erro é recente, desencadeado a partir do advento da televisão em cores e da vulgarização das revistas coloridas. O trópico é historicamente casto de cores, o que leva também a interpretações errôneas pelo lado oposto: "os tristes trópicos", dos franceses. Propomos que não haja cores vivas nas favelas.

The colorful tropics é uma alienação cultural.

• À MEDITERRÂNEO?

O extremo oposto ao "technicolor caribenho" seria pintar as favelas de branco. Mas isso daria a elas um aspecto demasiadamente "mediterrâneo".

Esquemas de cores propostos

O sol intenso faz com que conte mais o jogo de luz e sombra do que a cor. Sabiamente, todas as arquiteturas vernáculas no equador e no trópico não têm cores. É nas regiões de climas frios, de atmosfera tênue e sol mortiço, que elas se fazem necessárias. O vermelho de uma cabine telefônica e de um ônibus londrinos se coaduna com a atmosfera inglesa. Ali a cor é essencial. No sol forte, nossas pupilas se contraem e percebemos mais os contrastes entre claro e escuro do que as cores, seja na arquitetura, na folhagem ou nas faces das pessoas. Os "trópicos coloridos" são uma alienação cultural que pode despertar interesse momentâneo em turistas desinformados, mas são inadequados, como um rosto excessivamente maquiado exposto ao sol. Algumas casas de favelas já estão pintadas, a maioria em cor pastel. Em virtude disso, nos parece que as favelas devam ser pintadas em cores claras e suaves, o que não iria contrariar a cultura já existente no que se refere a cores.

Este belo texto de Italo Calvino resume o espírito do que quisemos demonstrar.

> O inferno não é alguma coisa que será, se é que existe. É o que já está aqui, o inferno onde vivemos cada dia, que formamos por estar juntos. Há duas maneiras de escapar de seus sofrimentos. A primeira é fácil para muitos: aceitar o inferno e se tornar tão parte dele que você não pode sequer vê-lo. A segunda é arriscada e demanda constante vigilância e apreensão: procurar aprender a reconhecer quem e o quê, no meio do inferno, não é inferno, e então fazê-los resistir, dar-lhes espaço.*

---

* Italo Calvino, *Invisible Cities*, Nova York/Londres, First Harvest/HBJ, 1978 p. 165.

15

De favela a cidadela: dura ladeira até se obter um RGI

CARLOS AUGUSTO JUNQUEIRA*

> "... o objetivo final de um sistema de propriedade não é elaborar estatutos elegantes... mas pôr o capital nas mãos de toda a nação."
>
> Hernando de Soto**

Para implementar uma Regularização Fundiária Urbana (RFU), o empreendedor social deverá se equipar, no mínimo, com:

1. levantamento topográfico completo da área ocupada, com identificação de cada casa ou prédio, ruas, vielas, becos, escadas e acidentes principais do terreno;
2. cadastro de moradores de 100% das unidades existentes com um código individualizado igual ao identificado na topografia; e

---

*Advogado, diretor do Instituto Atlântico e líder do Projeto Cantagalo na área jurídica.
** *O mistério do capital*, op. cit., p. 239.

3. pesquisa fundiária de todo o solo urbano objeto da RFU no registro geral de imóveis competente e na Prefeitura.

No processo de obtenção dessas informações, os desafios iniciais dependem de diversos fatores, dentre eles:

- existência ou não de uma ou mais matrículas no registro imobiliário;
- natureza jurídica do titular da matrícula no RGI, se pública, privada ou mista;
- existência ou não de ônus reais e ações judiciais sobre o imóvel;
- caracterização da RFU como de interesse social, ou não;
- existência de um ou mais líderes comunitários legítimos e idôneos;
- a área ocupada ter sido ou não declarada como Zona de Especial Interesse Social (ZEIS) pelo município;
- posicionamento dos criminosos ligados ao tráfico ou outros ilícitos eventualmente existentes na comunidade;
- arquivamento de planos de alinhamento e loteamento na Prefeitura;
- existência de processo de regularização iniciado no Instituto de Terras e Cartografia do Estado do Rio de Janeiro (Iterj) ou outro órgão do governo estadual ou da Prefeitura com competência para participar de uma RFU;
- existência de dados dos moradores no Cadastro Único para Programas Sociais (Cad-Único) para consulta;

- nível de conflitos de vizinhança e de outros tipos na comunidade;
- equipamento urbano e infraestrutura existente na comunidade.

Obstáculos de porte surgem e devem ser superados para conclusão dessas etapas fundamentais que irão compor o cenário básico para planejar a estratégia jurídica de regularização. Esse processo inicial demanda o máximo de foco, disciplina e organização. Profissionais especializados podem e devem ser contratados para elaboração ou revisão das informações, cabendo firmar as necessárias parcerias para alcançar as sinergias da RFU, tornando-a mais rápida e eficaz.

Questões levantadas pelos moradores, nossos clientes de fato e de direito no processo de regularização, devem ser respondidas de forma assertiva e rápida. Informações sobre projetos de infraestrutura, desapropriações e outras medidas de impacto relevante na comunidade devem ser divulgadas de forma apropriada para evitar a angústia da população. Centros de mediação comunitária podem ser estimulados para harmonizar interesses em conflito.

Próximo movimento, a ladeira do ADU

Para continuar subindo, o empreendedor social deve percorrer a ladeira do Auto de Demarcação Urbanística (ADU), seguindo pelo caminho da Legitimação de Posse* ou processo semelhante. Esse também será o caso de áreas públicas passí-

---

* O instituto jurídico da legitimação de posse encontra-se detalhadamente descrito no Capítulo 16 deste livro.

veis de transferência aos moradores, nos termos da Lei Complementar nº 131/09 do Estado do Rio de Janeiro.

O ADU deve ser instruído com planta e memorial descritivo da área a ser regularizada, nos quais constem suas medidas perimetrais, área total, todos os confrontantes, as coordenadas, preferencialmente georreferenciadas, dos vértices definidores de seus limites, bem como número de matrícula ou transcrição e a indicação do titular da matrícula no RGI, se houver; planta de sobreposição do imóvel demarcado com descrição da situação da área constante no registro de imóveis e certidão da matrícula ou transcrição da área a ser regularizada, emitida pelo registro de imóveis ou, diante de sua inexistência, das circunscrições imobiliárias anteriormente competentes.

Após a averbação do ADU, conforme exposto acima, o próprio poder público deverá elaborar o projeto de regularização e submeter a registro o parcelamento dele decorrente. O registro do parcelamento resultante do projeto de regularização fundiária deverá importar na abertura de matrícula para toda a área objeto de regularização e, se não houver, na abertura de matrícula para cada uma das parcelas resultantes da regularização.

Com base nos dados apurados nessa fase da RFU, será possível propor um plano de regularização para que qualquer comunidade alcance o status de bairro da cidade.

No que se segue, compartilharei minhas impressões sobre a implantação do Projeto Cantagalo, em torno de experiências concretas e reflexões recolhidas dessa vivência extraordinária da qual participei como colíder do projeto e, portanto, com a responsabilidade profissional de advogado dos moradores, com procuração por eles estabelecida, mas também como empreendedor social, dessa vez com o chapéu do Instituto Atlântico.

A queda do muro e a reconstrução do RGI

O virtual muro jurídico que separava o Cantagalo da cidade do Rio de Janeiro desmoronou em 2011. Ainda que parcialmente, a reconstrução do RGI no Cantagalo foi efetivada com a entrega dos primeiros 44 títulos de propriedade em maio de 2011. Constatamos ao longo da narrativa que o "título de propriedade" é algo muito sério e faltava ao Cantagalo justamente conhecer suas dimensões formais e regulamentares.

Uma indispensável legião de colaboradores se uniu para reconstruir o que era preciso: moradores, cadastradores, arquitetos, advogados, economistas, engenheiros, servidores públicos, jornalistas e registradores. Juntaram-se todos para colaborar na efetivação de uma mudança legalmente estruturante, a matrícula no RGI.

A matrícula no Registro Geral de Imóveis é um desses atos formais e solenes que observam rito próprio com pompa e circunstância, sendo o único modo de legalmente se adquirir a condição de proprietário na República Federativa do Brasil. O conjunto de matrículas que existe no RGI forma uma cidade dentro da cidade, sendo, por assim dizer, uma "cidadela jurídica", pois está lá, exclusivamente, para conferir segurança jurídica àqueles que estão aptos a se cadastrar no RGI como proprietários.

Afinal, o "nascimento" do imóvel

A matrícula no Registro Geral de Imóveis é semelhante a uma carteira de identidade, que pode se originar da Declaração de Nascido Vivo, documento que deve ser levado ao Cartório de Registro Civil quando uma criança nasce em hospital ou maternidade: dela constam o tamanho, os sinais particulares, a aptidão para a vida civil, tudo de forma muito parecida com o RGI, que igualmente define medidas da terra, eventuais particularidades do imóvel e restrições, certificando ao final a capacidade de aquela terra ou edificação, agora registrada, atribuir direitos e responsabilidades na vida civil.

Como se sabe, não é todo ser humano que tem certidão de nascimento, assim como nem todo imóvel acabado ou em construção possui matrícula no RGI. Infelizmente, em ambos os casos, o *reconhecimento do direito* a uma situação de fato, óbvia e inquestionável, pode demorar mais tempo do que seria razoável.

Claramente é mais fácil buscar a legitimidade do direito por meio da obtenção de uma certidão de nascimento do que por uma inscrição de matrícula imobiliária. Para a primeira, bastará provar a existência da criança — ou do adulto —, mas, para a segunda, será preciso demonstrar a aquisição derivada ou originária, essa pela posse pública, mansa e pacífica pelo prazo legal, no mínimo de cinco anos.

E como provar uma posse pública, mansa, pacífica e ininterrupta?

Sem alongar essa explicação, perceba que é algo complexo *provar a passagem do tempo em tais circunstâncias.* Daí a enorme dificuldade para concluir ações tradicionais de usucapião,* pois é imprescindível registrar o decurso do prazo, a passagem do tempo sob uma circunstância específica. Imagine algum exemplo da natureza, como a chuva ininterrupta em determinada região durante certo período ou, ao contrário, uma estiagem de anos. *É simples e indutivo "provar" o que está acontecendo agora*, neste momento, porém a questão tem outra perspectiva quando o objeto de prova é uma circunstância do passado que, obviamente, enfrenta limitações.

A título de ilustração, caso uma criança não tenha nascido em hospital ou maternidade, mas em casa ou outro local, os pais, ou pessoa responsável, podem ir diretamente a um cartório, independentemente da apresentação de uma Declaração de Nascido Vivo. Ou seja, as crianças que nasceram fora dos lugares designados e construídos para acolher recém-nascidos não serão desconsideradas como seres humanos por conta desse fato. *Não será necessário provar que estão vivas*. Enquanto não surgirem questões de maior complexidade, como a proliferação de clones, o registro civil de pessoas naturais tem situação confortável para emitir uma certidão de nascimento, reconhecendo como humano vivo aquele que ainda não foi registrado.

Se, por um lado, nem o ser humano nem a terra precisam de uma certidão para existir (a natureza dispensa emolumentos), por outro, o *efeito do reconhecimento jurídico* é extraordinariamente diferente em ambos os casos. Aliás, como não poderia deixar de ser. Um homem, mesmo

---

* Usucapião é um dos meios hábeis de aquisição de propriedade e que se funda na posse continuada e de boa-fé durante o tempo que se fixar em lei.

sem identidade, nacionalidade ou pátria, é destinatário de direitos em declarações universais, enquanto a terra, particularmente no Brasil, depende de matrícula no RGI para se tornar *propriedade*. Fora do RGI, a terra é, no máximo, uma posse. Tecnicamente falando, a propriedade não se aperfeiçoa.*

Tal explicação preliminar é necessária, até para lembrar aos entendidos ou àqueles que já passaram pela prazerosa experiência de acompanhar o registro de um imóvel em seus nomes. Sem registro no RGI, a terra não tem dono formal. Adão e Eva, bororós, tupis, tupinambás, goitacases, timbiras e outros índios de *Terra Brasilis*, assim como os portugueses que se instalaram no Descobrimento, possuíam, rigorosamente, o mesmo direito formal sobre a terra, qual seja, nenhum.

Posseiro, usuário, concessionário, permissionário, usufrutuário, grileiro, titular de justo título e capitão hereditário podem usar qualquer título, menos o de proprietário. No Brasil, só é propriedade legal o pedaço de terra correspondente a uma matrícula no RGI. Por consequência, somente pode ser chamado de proprietário aquele que tem seu nome ali inscrito.

---

* Consoante o artigo 1.196 do Código Civil, considera-se possuidor todo aquele que tem de fato o exercício, pleno ou não, de algum dos poderes inerentes à propriedade. Por sua vez, o artigo 1.227 do Código estipula que os direitos reais constituídos sobre imóveis, ou transmitidos por atos entre vivos, só se adquirem com o registro no Cartório de Registro de Imóveis.

A grande superação: chamar "favelados" de "proprietários"

A história no Cantagalo observa a sina de, praticamente, toda favela: possuir um amplíssimo distanciamento entre as terras e construções "nascidas", de um lado, e as terras e construções "registradas", de outro.

Vale destacar que ainda no início do Projeto Cantagalo, em meados de 2008, constatamos, no RGI e na Prefeitura, que *nenhuma das 1.485 residências posteriormente mapeadas tinha como proprietário algum morador da comunidade*!

Ou seja, a única certeza matemática que tínhamos era a de que tudo precisaria ser feito ou refeito.

Eram proprietários das terras ocupadas pela comunidade do Cantagalo:*

- o Estado do Rio de Janeiro
- a Companhia Estadual de Habitação (Cehab)
- com menor relevância, edifícios vizinhos das ruas Barão da Torre, Estrada do Cantagalo, Saint Romain e Antônio Parreiras
- e, ainda, pasmem (!), nossa pesquisa indicou a existência de uma grande área central na favela do Cantagalo que simplesmente não havia sido matriculada e, portanto, não pertencia a ninguém. Ou seja, no coração do limite entre Ipanema e Copacabana havia um pedaço de

---

* Cantagalo e Pavão-Pavãozinho são comunidades vizinhas, sendo a primeira objeto do projeto de regularização fundiária urbana, capitaneado pelo Instituto Atlântico, valendo notar que não foi por falta de vontade, mas apenas pela limitação dos recursos, que o projeto não cuidou das duas comunidades.

terra de milhares de metros quadrados que pertencia tanto aos índios quanto aos colonizadores, que se esqueceram de matricular todas as terras.

É nesse total descompasso entre o direito formal e a realidade, entre a justiça legal e a justiça social,* que reside a "irregularidade fundiária coletiva". Ali, no Cantagalo, como em centenas de outras "microcidades macrofavelas", era preciso empreender o processo de Regularização Fundiária Urbana na perspectiva do direito civil, que nada mais é do que atribuir, na "cidadela jurídica" do RGI, as porções de terra ocupadas pelas famílias da vida real, ou seja, os cidadãos favelados, tudo em conformidade com os princípios constitucionais de justiça e função social da propriedade, amparados por processos judiciais ou administrativos de usucapião e, modernamente, da legitimação de posse para posterior conversão em propriedade.**

Poucos instrumentos jurídicos são (potencialmente) tão transformadores da vida da cidade quanto um processo coletivo de titulação de direitos sobre a terra urbana ocupada.

---

* Conforme Joaquim Falcão em *Invasões urbanas*, sintetizando a dicotomia entre a justiça social e a justiça legal nos conflitos de propriedade: "(...) a convivência das duas ordens é a expressão, por um lado, da exclusão que a ordem legal faz não só da concepção de direito de propriedade prevalecente nas populações invasoras como da participação das massas populares na formulação e aplicação da justiça. Por outro, é a expressão da capacidade da concepção da ordem legal se impor como expressão da justiça social que prevalece em toda a sociedade brasileira. Nesse sentido, a permanência dessa ordem legal é apenas evidência de uma pretensão de dominação. É a evidência do poder que perdeu autoridade e que, aceleradamente, perde eficiência".

** O instituto jurídico da legitimação de posse encontra-se detalhadamente descrito no Capítulo 16 deste livro.

A propósito, vale muito a pena registrar o que faltava na favela do Cantagalo quando concluímos nossa pesquisa fundiária, nosso mapeamento e cadastramento: basicamente o RGI. Isso porque, no Cantagalo, 94% das moradias tinham acesso à água, 94% possuíam rede de esgoto, 75% tinham acesso à energia (rede regular com medidores), 92% tinham acesso à coleta de lixo (sendo 69% por caçamba e 23% por coleta regular), 86% tinham acesso à telefonia e 68% tinham acesso à TV a cabo, segundo nosso levantamento econômico-social.*

Ou seja, o que faltava mesmo no Cantagalo, de forma coletiva, era a regularização fundiária, o *título de propriedade*, pois todas as necessidades básicas, de forma precária ou não, já haviam sido atendidas.

Subimos o morro do Cantagalo para, afinal, constatar, surpreendentemente, que o serviço público que mais fazia falta aos moradores era o serviço notarial do RGI. No caso do Cantagalo, era o que faltava, essencialmente, para que pudesse ser chamado de cidade ou cidadela. Outras comunidades teriam e terão maior carência de outros serviços, mas em regra todas precisam de RGI, bem escasso e invisível, mas absolutamente necessário para unificar a cidade partida.

Enquanto conviverem dois "estados de direito" distintos, dois regimes fundiários, haverá duas espécies de cidadãos. Ou, melhor dizendo, uma espécie de cidadão e outra de não cidadão: a primeira, morando na cidade, em casas ou apartamentos, com direito a RGI; a segunda, na favela, óbvia como

---

* Esses dados foram retirados do Extrato do Relatório Final da Pesquisa de Cadastramento de Proprietários de Imóveis no Morro do Cantagalo, encomendado pelo Instituto Atlântico ao IBPS.

realidade, inexistente no RGI, condenada a ter suas construções chamadas de "barracos" quando falta apenas um emboço e uma mão de tinta para se equiparar àquelas da "cidadela jurídica" do RGI.

Apenas lembrando que a primeira etapa da titulação abrangeu exclusivamente a matrícula do *solo ocupado*. No futuro, uma nova averbação deve ser feita no RGI para efetivar a propriedade das edificações, com suas medidas, dimensões e seus pavimentos. Mas essa já é outra ladeira...

16

O grande teste da usucapião administrativa

MELHIM NAMEM CHALHUB*

Estudos divulgados em 2009 pelo UN-Habitat (Programa das Nações Unidas para Assentamentos Humanos) estimam em um bilhão de pessoas a atual população das favelas no mundo, que poderá triplicar até 2050 se o problema não for enfrentado com a urgência reclamada. Segundo esse estudo, a maior concentração dessas comunidades está na África subsaariana, onde 62% da população urbana mora nessas comunidades, seguida da Ásia, com 43%, e da Ásia oriental, com 37%.

A favela é apenas a parte visível da segregação residencial, "por força da qual as populações carentes e de baixa renda são destinadas às periferias do espaço urbano, em condições de vida as mais dilacerantes",** sem acesso à educação e a outros

---

* Advogado e professor, especialista em direito imobiliário. Colaborador do Projeto Cantagalo.
** Ricardo Pereira Lira, *Elementos de direito urbanístico*, Rio de Janeiro, Renovar, 1997, p. 171.

bens materiais, sociais e culturais indispensáveis à dignidade da pessoa humana e à estabilidade social, circunstância que consolida de maneira quase definitiva o problema da exclusão social da população carente.

No curto prazo, entretanto, e imediatamente, é necessário dotar de condições dignas de moradia esses "aglomerados subnormais, mediante execução de obras de infraestrutura e fornecimento de serviços públicos essenciais que atendam às necessidades básicas de saneamento, educação, saúde, lazer e segurança pública".

Além da urgente urbanização, é igualmente urgente a regularização fundiária nas favelas e nos assentamentos assemelhados, na medida em que, em regra, os moradores não dispõem de título do terreno onde está implantada sua moradia. A regularização se faz usualmente mediante concessão de direito real de uso, aforamento gratuito ou doação do poder público, quando situados esses aglomerados em terras públicas, ou mediante ação judicial de usucapião ou desapropriação com finalidade específica, quando em terras particulares.

Só recentemente a questão urbanística, na sua amplitude, veio a merecer atenção, a partir da demarcação das linhas principiológicas da política urbana pela Constituição de 1988 (art. 24, I, e § 1º, e arts. 182 e 183), entre as quais salientam o princípio da função social (arts. 5º, XXII e XXIII, 170, III, 182, § 2º, e 183) e o da função pública, implícita no texto constitucional (art. 21, IX, XX, XXI, 23, IV, 25, § 3º, 30, VIII, 43, 216, §§ 1º e 5º).

A esses princípios constitucionais estão associados os direitos sociais relacionados às necessidades vitais básicas dos trabalhadores e suas famílias, tais como o direito fundamental à moradia e à qualidade de vida (Constituição, arts. 6º, 7º, IV, e 225).

No plano infraconstitucional, a regulamentação desses princípios é objeto da Lei nº 10.257/2001 (Estatuto da Cidade), que estabelece normas, igualmente de caráter geral, visando à consecução da função social da cidade, contemplando a preservação do ambiente, o bem-estar dos habitantes e a adequada exploração do potencial econômico do território.

O estatuto contempla o conjunto dos instrumentos necessários à formulação e implementação da política urbana, a partir de "planejamento do desenvolvimento das cidades, da distribuição espacial da população" que assegure equilíbrio entre suas várias funções (moradia, trabalho, circulação, lazer etc.).

A partir da definição desses princípios e da fixação de parâmetros urbanísticos capazes de dar sustentabilidade às cidades, as questões relacionadas à função social da propriedade e das cidades, assim como o direito fundamental de moradia, poderão vir a ser tratadas adequadamente pelo legislador.

É na linha desses princípios que foi formulada a Lei nº 11.977/2009, com a epígrafe Minha Casa, Minha Vida, que contempla um esforço vanguardista do governo federal visando à produção de moradias para população de baixa renda, cujo Capítulo III trata especificamente da regularização fundiária nas favelas e nos assentamentos assemelhados e se define como instrumento de concretização do "direito social à moradia, o pleno desenvolvimento das funções sociais da propriedade urbana e o direito ao meio ambiente ecologicamente equilibrado" (art. 46).

A Lei nº 11.977/2009 institui uma nova forma de regularização fundiária — a usucapião administrativa precedida de legitimação de posse —, e é dessas figuras que nos ocupamos neste capítulo. Compõe-se o Capítulo III da lei de cinco seções: a Seção I estabelece os requisitos gerais para execução da demarcação urbanística, outorga de título de legitimação de posse e a conversão dessa em propriedade; as Seções II e III dispõem sobre os procedimentos para regularização fundiária, distinguindo duas espécies de assentamentos: a de interesse social e a de interesse específico; a Seção IV dispõe sobre o registro da regularização e a Seção V estabelece disposições gerais e transitórias.

Esse conjunto de medidas de regularização pode ser promovido pela União, pelos estados, pelo Distrito Federal e pelos municípios, e ainda pelos beneficiários, individual ou coletivamente, por cooperativas habitacionais, associações de moradores, fundações e outras entidades civis que atuem nas áreas do desenvolvimento urbano ou na regularização fundiária (art. 50).

A estrutura, função e dinâmica da lei contemplam os instrumentos e os meios necessários à demarcação da área objeto da regularização, cadastramento dos moradores, outorga dos títulos de legitimação de posse e conversão dessa em propriedade, mediante requerimento dos interessados diretamente ao oficial do registro de imóveis da situação da área.

Atento a essa realidade e aos princípios constitucionais, o legislador da Lei nº 11.977/2009 voltou sua atenção para a questão mais ampla do interesse urbanístico, aí compreendida a proteção dos valores ambientais de que fala o art. 225 da Constituição da República, e por isso põe a questão da legitimação da posse no contexto do interesse urbanístico e da conformação da cidade como unidade funcional, cuja ordenação contempla as funções básicas de habitação, trabalho, circulação no espaço urbano e lazer.

O procedimento de demarcação, legitimação de posse e atribuição de propriedade por usucapião administrativa tem início com a demarcação da área objeto do assentamento, passa pela legitimação das posses existentes e conclui com a conversão dessas posses em propriedade.

Uma vez concluídos os trabalhos de demarcação, o poder público responsável lavrará um "auto de demarcação urbanística" (art. 56), contendo a descrição da área, com suas medidas perimetrais, área total, confrontantes e coordenadas preferencialmente georreferenciadas dos vértices definidores de seus limites, bem como seu número de matrícula ou transcrição no registro de imóveis e indicação do proprietário, se houver. O "auto" indicará, também, a identificação das posses existentes.

Embora a lei não atribua a elaboração da planta e do memorial descritivo ao poder público responsável pela regularização, é de admitir que tal tarefa seja a ele atribuível. É também da lógica do procedimento a elaboração de duas plantas, uma retratando a situação existente no local, com a descrição da área na sua totalidade e a individualização de cada lote e dos espaços livres, e outra de sobreposição, reproduzindo a descrição e caracterização constante das matrículas ou transcrições existentes no registro de imóveis.

Caso a gleba demarcada abranja área pública ou com ela confronte, o poder público notificará previamente os órgãos responsáveis pela administração patrimonial dos demais entes federados, para que informem se têm titularidade sobre a área, no prazo de trinta dias, prosseguindo o procedimento caso não haja manifestação (art. 56, §§ 2º e 3º).

O "auto de demarcação" será enviado ao registro de imóveis da situação da área, instruído com a planta e o respectivo memorial descritivo, com a sobreposição do imóvel demarcado em relação à situação da área constante no registro de imóveis e à certidão de matrícula do imóvel. É a partir do recebimento do "auto de demarcação urbanística" que será acionado o sistema do registro de imóveis (art. 56), no qual tramitará todo o procedimento de demarcação e de legitimação de posse, bem como será efetivado o registro de sua conversão em domínio.

Nesse procedimento, incumbe ao oficial do registro de imóveis (art. 57), a partir do recebimento do "auto de demarcação":

1. identificar as matrículas ou transcrições relativas à área a ser regularizada;
2. identificar o proprietário da área;
3. notificar pessoalmente o proprietário da área e, por edital, os confrontantes e eventuais interessados.

Caso não encontre o proprietário no endereço constante dos assentamentos do registro de imóveis, nem nos endereços fornecidos pelo poder público, o oficial do registro poderá promover sua notificação por edital. O prazo para o titular da propriedade impugnar a demarcação e legitimação de posse é de quinze dias (art. 57, §§ 1º a 3º).

Se houver oposição do proprietário, abre-se possibilidade de acordo entre o impugnante e o poder público, com a intermediação do oficial do registro de imóveis; se a impugnação se referir apenas a parte da área constante do "auto de demarcação", o procedimento prosseguirá em relação à parte não impugnada, excluindo-se a parcela impugnada, mediante termo de transação firmado pelo representante do poder público e pelo impugnante, devendo esse "termo" instruir o "auto de demarcação."

Se, entretanto, o prazo decorrer sem que tenha havido impugnação, o oficial do registro de imóveis averbará a área, com as características constantes do auto de demarcação, das plantas e do memorial descritivo.

Uma vez averbado o auto de demarcação, o procedimento prosseguirá mediante elaboração, pelo poder público, de projeto de parcelamento e seu registro no registro de imóveis, com a subsequente outorga do título de legitimação de posse aos ocupantes cadastrados. O título será outorgado preferencialmente em nome da mulher e será registrado na matrícula do imóvel (art. 58 e §§ 1º e 2º).

Com a Lei nº 11.977/2009 passa, portanto, a ser admitida a aquisição da propriedade por efeito do uso prolongado do imóvel, nas hipóteses de que trata, por meio de usucapião administrativa, precedida de procedimento de legitimação de posse, também mediante procedimento administrativo.

A legitimação de posse como medida preliminar de reconhecimento da propriedade imobiliária não constitui novidade, havendo no Brasil o precedente legislativo histórico consubstanciado na Lei nº 601, de 1850, pela qual eram passíveis de legitimação "as posses mansas e pacíficas, adquiridas por ocupação primária, ou havidas do primeiro ocupante, que se acharem cultivadas, ou com princípio de cultura e morada habitual do respectivo posseiro ou de quem o represente".

O regime então instituído resultou da falência do sistema de sesmarias, extinto no Brasil em 1822, e se assemelha a um regime português pelo qual terras cultiváveis, cujo aproveitamento econômico era negligenciado pelos donos, podiam ser distribuídas a quem as cultivasse. Relembre-se que até aquele momento não havia clara distinção entre posse e propriedade, admitindo-se que "a posse que promovesse a colonização, o povoamento e a incorporação de terras ao processo produtivo valia usualmente como domínio".*

O procedimento chegou a ser novamente adotado no direito positivo brasileiro, mas apenas para legitimação de terras públicas federais, visando à implementação de reforma agrária (Lei nº 4.504/1964, arts. 97 e 98).**

---

* Whitaker, citado por Custódio Moreira Porto, "As ocupações legítimas de terras devolutas", *Revista da RGE-SP*, nº 1(jan. 1971), pp. 54-68.
** "Art. 97. Quanto aos legítimos possuidores de terras devolutas federais, observar-se-á o seguinte: I — o Instituto Brasileiro de Reforma Agrária promoverá a discriminação das áreas ocupadas por posseiros, para a progressiva regularização de suas condições de uso e posse da terra, providenciando, nos casos e nas condições previstos nesta Lei, a emissão dos títulos de domínio; II — todo trabalhador agrícola que, à data da presente Lei, tiver ocupado, por um ano, terras devolutas, terá preferência para adquirir um lote da dimensão do módulo de propriedade rural, que for estabelecido para a região, obedecidas as prescrições da lei. Art. 98. Todo aquele que, não sendo proprietário rural nem urbano, ocupar por dez anos ininterruptos, sem oposição nem reconhecimento de domínio alheio, tornando-o produtivo por seu trabalho, e tendo nele sua morada, trecho de terra com área caracterizada como suficiente para, por

Na jurisprudência, em situações análogas à regulamentada pela Lei nº 11.977/2009, já há muito se reconhece a prevalência da posse-moradia ante a inércia do proprietário em face da ocupação e formação de favelas.*

Esses precedentes históricos, legislativos e jurisprudenciais certamente influíram na concepção da legitimação de posse modelada pela Lei nº 11.977/2009, que, embora não possa ser vista como inovação, constitui sem dúvida extraordinário avanço no processo de atribuição da propriedade àqueles que imprimem função social à posse da terra, em

---

seu cultivo direto pelo lavrador e sua família, garantir-lhes a subsistência, o progresso social e econômico, nas dimensões fixadas por esta Lei, para o módulo de propriedade, adquirir-lhe-á o domínio, mediante sentença declaratória devidamente transcrita. Art. 99. A transferência do domínio ao posseiro de terras devolutas federais efetivar-se-á no competente processo administrativo de legitimação de posse, cujos atos e termos obedecerão às normas do Regulamento da presente Lei. Art. 100. O título de domínio expedido pelo Instituto Brasileiro de Reforma Agrária será, dentro do prazo que o Regulamento estabelecer, transcrito no competente Registro Geral de Imóveis. Art. 101. As taxas devidas pelo legitimante de posse em terras devolutas federais constarão de tabela a ser periodicamente expedida pelo Instituto Brasileiro de Reforma Agrária, atendendo-se à ancianidade da posse, bem como às diversificações das regiões em que se verificar a respectiva discriminação. Art. 102. Os direitos dos legítimos possuidores de terras devolutas federais estão condicionados ao implemento dos requisitos absolutamente indispensáveis da cultura efetiva e da morada habitual."

* É o caso, paradigmático, do acórdão proferido no Recurso Especial nº 75.659-SP, que, confirmando acórdão proferido em 1999 pela 8ª Câmara Cível do Tribunal de Justiça do Estado de São Paulo, rejeitou pedido reivindicatório formulado pelo proprietário de nove lotes de terreno incrustados numa favela e ocupados há mais de vinte anos, sob o fundamento de que a inércia do proprietário neutralizou o *jus reivindicandi*, "(...) sobretudo considerando-se que os lotes situam-se numa cidade em franca expansão, com problemas gravíssimos de habitação." No caso, os lotes reivindicados ficaram abandonados por mais de dez anos, tendo o Tribunal entendido que o não uso prolongado dos lotes importa em violação do princípio da função social da propriedade, resultando neutralizado.

contraposição à conduta dos titulares de domínio que houverem negligenciado o exercício do seu direito de propriedade.

Ao tratar da legitimação como componente do processo de urbanização, a lei não se limita a priorizar a permanência dos moradores no local, mas, também, exige seja a área dotada dos requisitos de sustentabilidade urbanística, social e ambiental e para esse fim contempla atuação conjunta do poder público nas esferas federal, estadual, municipal e do Distrito Federal. É claro que, em certas situações práticas, é inviável o pleno atendimento dessa exigência, e, atento a essa realidade, o legislador admite sejam ponderados os requisitos de regularização em face da realidade específica de cada assentamento, como, por exemplo, mediante redução do percentual de áreas destinadas ao uso público e dos limites legais de área dos lotes (art. 52), regularização de assentamentos em áreas de preservação permanente ocupadas até dezembro de 2007, quando a intervenção do município implicar melhoria das condições ambientais em relação à situação irregular anterior (art. 54, § 1º).

Dado o relevante interesse social nesse contexto, a lei confere à posse legitimada o *status* de direito, nestes termos: "Art. 59. A legitimação de posse devidamente registrada *constitui direito em favor do detentor da posse* direta para fins de moradia." (Grifo nosso).

Trata-se de situação jurídica de reconhecimento da posse que, por si mesmo, caracteriza um direito funcional autônomo e garante ao "detentor da posse" (*rectius, possuidor*) acesso direto à propriedade formal, independentemente de intervenção judicial, bastando para tal o decurso do prazo de cinco anos do registro do título de legitimação (art. 60).

Essa é uma situação em que, como bem salienta Marco Aurélio Bezerra de Melo, "a intervenção estatal na afirmação da propriedade dos imóveis oriundos de aquisições marginais ao imaginado pelo modelo burguês de titularidades (...) justifica-se pela busca de uma isonomia substancial entre os cidadãos brasileiros".*

Uma vez registrado o título de legitimação, cria-se um estado de pendência durante o qual, de uma parte, o titular em nome de quem a propriedade está registrada no registro de imóveis ainda não a perdeu e, de outra parte, o possuidor legitimado ainda não obteve o registro definitivo da propriedade em seu nome.

Nessa configuração, a posse legitimada qualifica-se *per se* como um *direito funcional autônomo* de posse-moradia, que vincula o possuidor ao imóvel e, embora não enumerada entre os direitos de natureza real, constitui direito com eficácia real, na medida em que dará origem à propriedade uma vez cumpridos os requisitos definidos no art. 60.

A conversão da posse em propriedade assim proposta inspira-se na concepção do § 4º do art. 1.228 do Código Civil, que, por via indireta, contempla a perda da propriedade em favor de grupos de pessoas que exerçam posse ininterrupta por mais de cinco anos, em situações análogas à dos assentamentos irregulares de que trata a Lei nº 11.977/2009.

Afinal, na medida em que o propósito da lei é simplificar e desjudicializar situações que não comportam litígio, nada justifica sujeitar o possuidor legitimado a uma prolongada,

---

* Marco Aurélio Bezerra de Melo, *Legitimação de posse de imóveis urbanos e o direito à moradia*, Rio de Janeiro, Lumen Juris, 2008, p. 55.

onerosa e aflitiva ação judicial de usucapião, pois o título de domínio já terá sido alcançado ao longo de todo o procedimento simplificado e extrajudicial de regularização fundiária, restando apenas a conversão da posse legitimada em propriedade, mediante registro a requerimento do possuidor.

A legitimação de posse, nos termos regulados pela Lei nº 11.977/2009, e a usucapião são meios de reconhecimento de domínio que, por não implicar litigiosidade, são suscetíveis de efetivação independentemente de intervenção judicial, pouco importando o fato de ambas implicarem a perda da propriedade pelo seu titular e sua aquisição pelo possuidor.

A posse legitimada por título concedido pelo poder público, registrado no Registro de Imóveis, é situação jurídica que simplifica a usucapião e é nesse sentido que, tratando especificamente da legitimação como modo de aquisição da propriedade, Marco Aurélio Bezerra de Melo sustenta que a sentença de procedência do pedido em ação de usucapião "não é condicionante da propriedade e, por conseguinte, a sua essência é apenas declaratória (...), talvez seja possível imaginar um procedimento administrativo mais efetivo para o reconhecimento da propriedade sem a inevitabilidade da apreciação judicial, atendendo aos ditames da Constituição e do Estatuto da Cidade de proporcionar a regularização das posses em favelas acompanhada da devida urbanização da área".*

No contexto da *ordem urbanística popular*, a desjudicialização, além de contribuir para aliviar uma sobrecarga desnecessariamente imposta ao Judiciário, constitui importante

---

* Marco Aurélio Bezerra de Melo, op. cit., pp. 134 e 137.

instrumento de realização da função social da propriedade, devendo-se ter presente, como observa Marco Aurélio Bezerra de Melo, que sempre que se possa obter "um resultado justo para alguma pretensão e essa puder ficar a cargo das partes e de outros agentes do Estado, é legítima a busca desse procedimento, que, além de ser mais efetivo, é também o que acarreta menores ônus para o Estado e para as partes".*

No caso das ocupações de glebas nas favelas e nos assentamentos assemelhados, configura-se também uma situação de abandono, e aqui avulta a visão social e axiológica das situações possessórias, que privilegia aquele que dá utilidade prática ao imóvel, em detrimento do proprietário inerte, abrindo caminho para configuração do direito de propriedade em conformidade com o princípio constitucional da sua função social no ambiente urbano.

Nesse contexto, o *aggiornamento* da velha figura da legitimação da posse, com a desburocratização e a desjudicialização do procedimento de outorga de títulos de propriedade, pode contribuir para a realização do direito fundamental da moradia e da função social das cidades. A par dos interesses individuais do possuidor e do proprietário (que, pela perda da propriedade, será exonerado dos encargos sobre o imóvel), a atribuição da propriedade pela via intermediária da legitimação de posse interessa a toda a sociedade, pois é elemento catalisador de inclusão e de estabilidade social.

Superadas eventuais deficiências conceituais e terminológicas presentes na lei, não há dúvida de que o novo procedimento vem abrir novas e promissoras perspectivas de

---
* Idem, p. 142.

solução, ainda que parcial, de graves problemas urbanísticos, ambientais e de falta de titulação dos moradores dos assentamentos irregulares na zona urbana, que há muito desafiam a criatividade de urbanistas, juristas e tantos quantos se interessem pela função social das cidades, em relação às terras de propriedade privada ou às terras de domínio público, sobretudo onde se encontrem assentadas as favelas e outros aglomerados assemelhados.

17

Cantagalo, laboratório de direitos

Lígia Fabris e Joaquim Falcão*

> *"Examinando essa 'lei do povo' e compreendendo sua lógica, os reformadores obterão um sentido do que precisam fazer para criar um sistema legal autoexecutável."*
>
> Hernando de Soto**

Deve uma escola de direito, de economia ou de arquitetura e urbanismo, por exemplo, se engajar em projetos como esse do Instituto Atlântico sobre a regularização fundiária no Cantagalo? Por quê? Em nome de quê? Como? Qual a importância dessa experiência para a formação de jovens futuros advogados, juízes, economistas, defensores públicos ou arquitetos, urbanistas, designers? (Ao fazer essa pergunta inicial, lembro Acácio Gil Borsoi, um líder da arquitetura no Brasil, quando, ainda jovem, na década de 1960, usava de seu talento e profissionalismo para, pioneiramente, projetar ca-

---

* Respectivamente, professora e diretor da escola Direito Rio — Escola de Direito do Rio de Janeiro, da Fundação Getúlio Vargas.
** *O mistério do capital*, op. cit., p. 218.

sas populares para substituir mocambos, na área de Cajueiro Seco, em Pernambuco. Com certeza, esse desafio de juventude colaborou para sua formação e seu sucesso profissional. Mais tarde, Janette Costa, arquiteta, sua mulher, introduziu, mais além da arte popular, o próprio artesanato brasileiro nos salões das casas, museus e hotéis do Brasil. Aqui homenageamos os dois.)

Por que a imensa maioria dos mais de mil, isso mesmo, cerca de 1.200 cursos de direito, não inclui em seus currículos uma formação profissional embasada em experiências sociojurídicas de seus alunos? Palpável com as mãos, diria Gilberto Freyre, ou formação "como saber de experiência feito", diria Luiz de Camões?

Por que muito raramente incluem a tarefa de concretização dos direitos humanos e sociais da maioria dos brasileiros, como manda a Constituição, como indispensável tarefa educacional?

Raríssimas faculdades vão além de ensino na sala de aula, seminários e bibliotecas. Nem saem às ruas, nem sobem os morros. Estacionam nos gabinetes. É assim mesmo? É como se houvesse uma passarela imaginária entre a sala de aula e os gabinetes futuros, flutuando acima da realidade dos direitos. Olhando-os de cima para baixo. Direito "apenasmente" formal, *voyeur*.

Antes de relatar nossa pequena e iniciante — mas, para nós, já muito importante — experiência de professores e alunos no Cantagalo, permitam rápida reflexão. Permitam explicitar alguns conceitos e estratégias que possam ser úteis não só aos da escola de direito ou de arquitetura e urbanismo, mas a todos do ensino universitário.

É reflexão sobre o que denominamos "fluxo do conhecimento". Afinal, criar, desenvolver, transmitir, preservar e avaliar conhecimentos é a razão de nosso existir universitário. O nosso *business*, ou nossa tarefa.

A Direito Rio — Escola de Direito do Rio de Janeiro da Fundação Getulio Vargas é escola confessional. Confessamos que somos a favor do estado democrático de direito e da busca de soluções para o desenvolvimento, além do apenas jurídico, social e econômico do Brasil. O que pode parecer mera retórica, mas pode também não ser. Sobretudo, quando traduzimos essa confissão em diretrizes gerenciais e operacionais: disciplinares, didáticas e investigativas.

Um experimento como o do Cantagalo faz com que nossos alunos e professores encontrem, ou melhor, vivenciem o Brasil total. O que nem sempre é fácil de encontrar nas salas de aula, doutrinas, teorias, leis e práticas jurídicas, bibliotecas, *powerpoints* — necessárias, mas insuficientes. Tudo voltado para produzir profissionais técnicos, para o mercado de trabalho prioritário, concursos públicos ou exames de OAB. Esse experimento faz com que nossos alunos e professores encontrem o Brasil que precisa de soluções do Brasil.

A história antiga e recente já demonstrou que os mecanismos tradicionais de acesso ao direito de propriedade, sejam a iniciativa, o investimento e a poupança do mercado imobiliário, seja o orçamento público, são necessários, mas insuficientes, para atender à demanda acumulada de milhões de habitações. As inúmeras soluções disponíveis, da usucapião urbana aos subsídios de financiamento imobiliários, aos títulos de domínio e às declarações judiciais de usucapião especial coletiva de imóvel urbano como regularização da posse, são também necessárias. Mas insuficientes.

Qualquer pesquisa, aliás, mostra que o morador da favela não tem renda suficiente e estável para comprar sua moradia, por melhores que sejam as condições financeiras e os longos prazos ofertados. Quanto aos orçamentos municipais, estaduais e federais, são sempre insuficientes. Mercado financeiro e imobiliário e orçamento público, sozinhos, não fazem o verão das moradias necessárias.

Pesquisas mostram que as populações de baixa renda não querem um subdireito de propriedade. Um título com limitações e fragilidades jurídicas que os coloca quase sempre dependentes da burocracia do Estado. Pretendem um efetivo direito de propriedade, uma moradia, tal qual sonha a classe média e realiza a elite, que possa comprar e vender e legar a seus filhos. Como viabilizar esse desejo? Esse sonho estruturador da convivência e da sobrevivência humana, mais do que apenas do capitalismo, no Brasil de hoje?

É preciso reinventar o direito de propriedade a partir dos limites e das possibilidades de nossa realidade. Não há reinvenções sem experimentação. Sem colocar, juntos, profissionais da teoria e detentores da prática. O ideal e o real. Alguns Platões e muitos Aristóteles. Cantagalo, para nós da Direito Rio, é um campo experimental de direitos. Um laboratório de imaginações jurídicas. Exercício de saudável ambição democrática. Essa ambição, queremos transmiti-la aos nossos alunos.

A ambição de um direito melhor para todos. Temos de, com imaginação institucional, com o *institutional building*, desatar o nó do medo da ortodoxia econômica. Desatar o paralisante medo real de que a regularização fundiária urbana estimule novas invasões urbanas e produza o caos. Não acreditamos numa democracia sustentável sem amplo acesso de todos ao direito de propriedade.

Recentemente, lendo o livro *O risco: Lúcio Costa e a utopia moderna* — organizado por Guilherme Wisnick, com depoimentos sobre o arquiteto —, deparei-me com esta afirmação de Sérgio Ferro: "A forma é o conteúdo diferenciado, é o conteúdo espalhado, é o conhecido na efetividade. E o conteúdo não seria nada mais do que a essência, o conceito dessa mesma forma. Então falar em formalismo como se fosse qualquer coisa sem conteúdo *a priori*, é absurdo. Toda e qualquer forma tem conteúdo."

Assim na arquitetura. Assim no direito. Atrás de todo risco arquitetônico e de toda forma legal — constitucional, sobretudo — existe um conteúdo social e econômico latente e recôndito. Forma legal é conteúdo social. Se assim é, se lhes parece, tudo então fica muito mais claro.

Não há que reclamar do conteúdo social e econômico da constitucionalização do atual direito de propriedade. Forma e conteúdo são amplamente inclusivos: direito de moradia, como o mínimo existencial do direito de propriedade. Para todos. Há sim — este o problema — que imaginar inovadoramente o acesso a esse direito. As formas legais que viabilizam esse acesso só aparentemente são inclusivas. Seu conteúdo é seletivamente excludente. A maioria dos brasileiros não consegue sequer preencher as formas legais do acesso, porque não tem o mínimo existencial econômico e social. O caminho legal do acesso está, pois, parcialmente obstruído. Arrisca enfartar. Explodir as cidades pela violência urbana.

Como desobstruí-lo? Ou, como se diz no direito: *o problema central é a convivência de um direito substantivo à moradia com um direito processual, que é excludente, de acesso a um teto.*

Cantagalo para nós, portanto, é um laboratório de reinvenção de formas legais que permitam um acesso mais igualitário ao direito de moradia de todos, já ampla e suficientemente constitucionalizado. No fundo, é um laboratório de direito processual.

A partir da ideia de laboratório de direitos, a reflexão sobre o fluxo do conhecimento e a missão de uma escola de direito no Brasil contemporâneo ganham sentido. Esse fluxo de conhecimento se realiza numa sequência de etapas: pesquisa e criação; implementação e formação; difusão e mobilização; experimentação e avaliação.

Do conhecimento como mobilização da cidadania até o estágio de experimentação e avaliação — são etapas ainda por construir. A ativa participação de uma escola de direito na difusão das ideias exige uma nova *expertise*, que vai desde encontrar os meios de difusão adequados, muito além dos artigos em revistas acadêmicas e livros jurídicos ou relatórios de pesquisa — mídia e redes sociais, por exemplo — até a inovação da linguagem, tornando os grandes debates e inovações jurídicas acessíveis à opinião pública.

O nosso projeto no Cantagalo é, pois, além de um laboratório de novos direitos, também uma experiência de uma nova escola de direito, que se sente responsável pela inovação, pela busca de soluções para os problemas que atingem a maioria dos cidadãos. Permite-nos testar e experimentar uma ampliação da função da escola no fluxo de conhecimento que nos civiliza a todos.

O lugar da experimentação no currículo de uma escola de direito é por excelência a prática jurídica. A implementação da prática jurídica no Brasil tem como modelo amplamente difundido o atendimento à população carente. Mas, ao lidar com pessoas de baixa renda, que enfrentam dificuldades em virtude de sua condição econômica, os escritórios-modelo de advocacia das faculdades prestam, em regra, assessoria jurídica individual, de modo a viabilizar a essa população o acesso a determinados direitos. Exemplos corriqueiros são as ações relativas aos direitos de família, trabalhista, penal e de consumidor.

Na Direito Rio a prática jurídica começou como parte de um processo de mobilização do conhecimento conduzido pelos centros de pesquisa. Essa prática jurídica olha não apenas para o caso individual, mas para a questão coletiva, e reflete reivindicações sociais, pensa em alternativas. No que existe e no que falta. Que imagina soluções. A resposta negativa é sempre conhecida — e insuficiente. É sinal de que os mecanismos estão falhos. O canal de acesso a direitos, que deveria funcionar, está obstruído. E não bastam pontes de safena e *stents*. Uma vigorosa democracia não vive de *by-passes*.

O que acontece, no entanto, quando a previsão legal obsta o acesso, a concretização de um direito? O de propriedade, por exemplo?

Nos cursos jurídicos se aprende que a propriedade é direito fundamental. A realidade nos mostra que o Brasil possui um imenso déficit habitacional, que tem na Região Sudeste seu ponto de maior concentração e crescimento. Dados do governo federal mostram que 89% desse déficit corresponde aos moradores de favelas em áreas metropolitanas.

As populações carentes não têm acesso — ou o têm de maneira precária — à moradia. Se há uma questão crucial no desenvolvimento do país, é a da habitação. Sua legalização deve ser tarefa prioritária, para que se possa concretizar a cidadania.

Uma prática jurídica comprometida com o estado democrático de direito depende não apenas de conhecer e manejar os mecanismos legais disponíveis. Mas também ousar. Buscar *se* e *como* poderia ser diferente.

As práticas jurídicas tradicionais esbarram em um problema: grande parte das comunidades carentes se assenta em terras públicas. São, conforme todas as lições de direito administrativo, civil e constitucional, "inusucapíveis".

O que acontece, então, quando alunos e professores se deparam com um pedido de regularização fundiária nesse contexto?

Mesmo que uma família resida em um mesmo lugar há mais de cinquenta, sessenta anos, não importam quantos, "não há direito à propriedade". Essa seria a resposta mais evidente e, em princípio, juridicamente correta. Mas pode haver outras. A parceria da FGV Direito Rio com o Instituto Atlântico viabilizou a concretização de nosso objetivo de uma prática jurídica inovadora, laboratório de direitos fundamentais, exercício imaginativo.

A Clínica de Regularização Fundiária Urbana da Direito Rio foi criada no segundo semestre de 2009. É uma disciplina do Programa de Clínicas do Núcleo de Prática Jurídica, com 30 horas/aula, um encontro por semana, cursada por alunos do 7º ao 10º período da graduação. Contou com a participação de dois colaboradores e líderes do Projeto Cantagalo, do Instituto Atlântico, Carlos Augusto Junqueira e Mário Victor Azevedo, e de um representante da Associação de Moradores do Cantagalo, Cláudio Napoleão, mais três professores — além de nós, também Gustavo Schmidt. Desde seu início, pela Clínica já passaram cerca de quarenta alunos.

No decorrer de suas reuniões, constituiu-se um laboratório de direitos e de formulação de políticas públicas. Necessariamente multidisciplinar. Professores e alunos envolvidos se defrontaram com o direito civil, administrativo e constitucional, com as leis e projetos de habitação, com o Programa de Aceleração do Crescimento, com as disposições cartorárias e com as decisões judiciais sobre usucapião, registro e utilização de terras públicas.

Fomos conhecer todos os acórdãos do Brasil disponíveis sobre o tema. Pesquisamos a jurisprudência dos 27 estados da Federação e seus tribunais superiores, com controle de todos os termos de busca e do número de decisões encontradas, que eram interpretadas conforme seus fundamentos e classificadas em *contrárias* ou *favoráveis*. Vimos os entraves legais e discutimos as modificações que deveriam ser feitas.

Na Clínica, questionou-se a vedação legal à doação de terras públicas então ainda presente na Constituição do Estado do Rio de Janeiro, em seu artigo 68. Com membros das instituições parceiras em sala de aula, pensou-se em caminhos e alternativas possíveis para superar os entraves à concretização do direito de propriedade no caso do Cantagalo. Os debates culminaram com a proposta de emenda constitucional (PEC) que inseriu no dispositivo mencionado o § 5º, que possibilita a doação de terras públicas para imóveis destinados a programas de regularização fundiária em comunidades de baixa renda.

Num encontro no Cantagalo com a Associação, seus moradores mostraram que, para eles, o direito de propriedade significava, simultaneamente, deveres como, por exemplo, o pagamento de IPTU e luz. A demanda não dizia respeito a meros benefícios. Os moradores esclareceram que se tratava de inclusão social, isto é, de igualdade de direitos e deveres. O que é isso, senão aquisição de cidadania? Trouxemos a comunidade para a universidade, eles abriram as suas portas para nós. Estamos conscientes das palavras de Paulo Freire, segundo as quais não educamos ninguém, mas nos educamos entre nós, "mediatizados pelo mundo".

A prática jurídica, imbuída desses valores, orienta nosso projeto de universidade e se faz presente em nosso ensino e pesquisa. Por exemplo: na disciplina de direito civil a matéria de direitos reais tem como fio condutor a questão do acesso ao direito de propriedade e de sua função social; a Clínica de Direitos Humanos, que elabora, em parceria com organizações não governamentais, memoriais de *amicus curiae* para a Corte Interamericana de Direitos Humanos sobre violações ocorridas no Brasil, tem relação estreita com a disciplina de direitos humanos.

A experimentação está em todos os lugares de nossa escola. Isso não pode ser feito sem o exercício de imaginação institucional e um grau consciente de responsabilidade. Toda a experiência é refletida e avaliada em sala de aula, nos centros de pesquisa, em seminários e debates públicos. Esse é o ponto de partida para novos desafios.

Constituição do Estado do Rio de Janeiro

Texto Anterior	Texto da PEC (EC 42/2009)
Art. 68. Os bens imóveis do estado não podem ser objeto de doação nem de utilização gratuita por terceiros, salvo, mediante autorização do governador, se o beneficiário for pessoa jurídica de direito público interno, entidade componente de sua administração indireta ou fundação instituída pelo poder público.	**Art. 68.** Os bens imóveis do estado não podem ser objeto de doação nem de utilização gratuita por terceiros, nem de aluguel, salvo mediante autorização do governador, se o beneficiário for pessoa jurídica de direito público interno, entidade componente de sua administração indireta ou fundação instituída pelo poder público, bem como nos casos legalmente previstos para regularização fundiária.
§ 5º Formalidades previstas neste artigo poderão ser dispensadas no caso de imóveis destinados ao assentamento de população de baixa renda para fins de reforma agrária ou urbana.	§ 5º As exigências previstas neste artigo poderão ser dispensadas no caso de imóveis destinados a programas de regularização fundiária, inclusive para fins de assentamento de população de baixa renda, na forma da lei complementar, que disporá, ainda, sobre as condições e os procedimentos específicos para a alienação de imóveis públicos e para sua utilização pelos beneficiários no âmbito dos referidos programas.

18

O maior programa social do mundo: titular o Brasil

Paulo Rabello de Castro

> "(...) o valor total dos imóveis de posse extralegal dos pobres... é de pelo menos US$ 9,3 trilhões."
>
> Hernando de Soto*

Essa história de "maior do mundo" não tem o menor cabimento. Mas os políticos populistas têm verdadeira paixão por um "maior do mundo" e o povo gosta de saber que o Brasil é inigualável em alguma coisa. Para curtir um campeonato, serve até o *ranking* de pior do mundo! O importante é que nosso país se destaque. E na integração dos seus espaços urbanos, por meio da titulação plena do direito de propriedade, o Brasil tem condições de oferecer um exemplo extraordinário ao resto do mundo, não só pela grandeza dos números de um programa nacional de regularização fundiária, mas

---

* De Soto se refere ao que denomina de "capital morto": o valor dos imóveis não formais de pessoas pobres no Terceiro Mundo e no ex-bloco comunista. *O mistério do capital*, op. cit., p. 47.

principalmente por mostrar como superar barreiras ideológicas, burocráticas, organizacionais e ambientais, provendo, e testando na prática, um marco legal da propriedade realmente *para todos*.

O Projeto Cantagalo é um esforço algo pioneiro nesta direção, que se soma a vários outros, não muitos (!), hoje em curso no país.* Nosso pioneirismo provavelmente está na fórmula altamente participativa de sua implantação, pois procuramos permanecer fiéis à nossa convicção, testada em campo, de que não há avanço sem luta política e conquista, mesmo que — foi o nosso caso — as forças de governo tivessem se colocado, finalmente, ao lado da demanda popular. Mas é da demanda que deve surgir o encaminhamento da solução, caso a caso. O princípio básico da "tecnologia social" de mobilização do autointeresse é tarefa basilar na escada de acesso até a obtenção de um título definitivo. Ninguém dá nada; o acréscimo ao valor decorre da conquista. Não há almoço grátis; nem há criação de riqueza imobiliária quando seu reconhecimento formal chega pela janela do andar de cima. A casa se constrói de baixo para cima. A aquisição de um direito fundiário também provém da prova cabal da permanência prolongada, constante e de boa-fé, no chão um dia conquistado.

O Brasil fundou suas "cidades de chegada" ao longo do século XX, especialmente nas décadas que coincidiram com a intensificação do processo de industrialização e urbaniza-

---

* Há alguns outros importantes programas fundiários para conceder um título de propriedade, como o desenvolvido no Paraná pela empresa Terra Viva.

ção. Portanto, em termos cronológicos, a bandeira da ocupação informal está fincada por tempo suficiente para mais do que justificar a aquisição de títulos pela usucapião coletiva e homogênea nos territórios das favelas e ocupações brasileiras. A legitimação administrativa da posse fundiária urbana veio completar o instrumental aquisitivo com notória capacidade de inovação por parte do recente legislador federal.*

O que falta agora é testar esse instrumental em larga escala. O Governo do Estado do Rio de Janeiro deu um passo gigantesco ao emendar a Constituição estadual para acolher a provocação advinda do Projeto Cantagalo e, assim, tornar o que seria apenas mais uma escaramuça entre favelados e representantes de governo em uma ferramenta geral de acesso direto da cidade informal à legalidade e à titulação plena nas "cidades de chegada" do território fluminense.** Resta massificar a experiência. O termo, em si, é horroroso e merece muito cuidado, pois a massificação não coincide com o princípio da aquisição por conquista. Mas é preciso organizar os líderes locais nas muitas "cidades de chegada", preparando o ingresso das favelas no universo da cidadania plena.

---

* A legislação em tela é a do programa Minha Casa, Minha Vida, na gestão do presidente Lula.
** O orquestrador dessa mudança radical de abordagem dentro do governo foi o vice-governador Luiz Fernando Pezão, nosso coautor nesta obra, tanto quanto no Projeto. Mas nada do que foi feito seria possível sem o concurso do chefe de governo, Sérgio Cabral Filho, cuja sensibilidade para o avanço social é notável e persistente, desse modo viabilizando o trabalho conduzido pelo secretário Régis Fichtner, na Casa Civil, pela equipe da Procuradoria Geral do Estado, pelo secretário da Habitação, pelo Instituto de Terras do Estado (Iterj) e pelas comissões legislativas na Assembleia Legislativa, com especial destaque para alguns parlamentares estaduais, como André Corrêa, entre outros.

É possível, com grande esforço e tenacidade quase obsessiva, ampliar o Projeto Cantagalo à quase totalidade das favelas na cidade do Rio e no espaço da sua região metropolitana até a Olimpíada em 2016. Bons resultados podem ser colecionados antes disso, para mostrar ao mundo em 2014, durante a Copa do Mundo que o Brasil sediará.

Trata-se de um desafio de preparação verdadeiramente olímpico, só que numa direção distinta da implantação dos equipamentos urbanos de estada, deslocamento e convívio que os visitantes testarão durante o evento. Boa parte dos nossos futuros hóspedes estará interessada em outra coisa: as equipes de TV e os editores mais atentos estarão interessados em saber como o Brasil anda resolvendo a "questão da favela". Será que teremos uma fórmula campeã para apresentar ao mundo? Algo que reúna originalidade, funcionalidade e elegância de solução? Algo, afinal, que não seja apenas os usuais emboço e pintura, a tradicional arrumação da casa jogando o lixo das nossas contradições sociais e conflitos para debaixo da cama? Temos aí uma verdadeira chance de brilhar intensamente e com alta participação democrática, porque o espírito do Cantagalo desperta a associação de interesses e de criatividades não só da própria favela e seus moradores, seus líderes, como da gente da cidade formal, em um enorme grupo interdisciplinar de especialidades, do estatístico ao arquiteto, do economista ao político, da assistente social ao jornalista, do escritor ao fotógrafo, do estagiário ao jurista mais graduado, o advogado prático e o registrador público, o prefeito e sua equipe, o policial e, de algum modo, até o morador bandido. É uma equipe olímpica em seu porte e complexidade, buscando harmonizar visões e interesses.

Merece, com certeza, um reconhecimento como campeã em superação de obstáculos.

Por não ser fácil nem conceitualmente trivial, a tarefa de titulação coletiva da propriedade, embora figure no topo do sonho da cidade informal, não é enfrentada pelos governantes convencionais. Habituados ao troca-troca político, entre concessão e voto, os governantes da planície não conseguem enxergar a dimensão de um ciclo de vida dos seus eleitores. Estão presos ao ciclo de sobrevivência de seus próprios mandatos, infinitamente mais curto do que o horizonte de interesses dos cidadãos que dizem representar. É natural, portanto, que da planície política não surja nada em apoio a um objetivo macrossocial das dimensões do Cantagalo. É no altiplano da política com P maiúsculo que começam a surgir os homens e as mulheres capazes de enxergar além do dia a dia das "cidades de chegada" brasileiras. Esses novos profissionais da política começam a se perguntar para onde haverão de conduzir o futuro das dezenas de milhões de pessoas ainda vivendo fora dos estreitos limites da legalidade imobiliária no Brasil.

Para se alcançar o objetivo nacional de uma titulação massificada da propriedade em todo o território nacional, é preciso, antes de mais nada, ter noção do tamanho do desafio. A PNAD (Pesquisa Nacional por Amostra de Domicílios) não traz informação direta sobre a situação legal do imóvel urbano onde vivem os brasileiros.* Mas é possível estimar que,

---

* Usamos a PNAD mais recente, dados de 2009, que informa quantos imóveis residenciais existem, por classe de renda familiar. Fizemos um corte em três salários mínimos mensais familiares, de baixo para cima. A partir dessa informação, 30 milhões de moradias, estimamos o grau de informalidade fundiária,

pelo menos, cerca de 15 milhões de imóveis estão sem matrícula regular no RGI (Registro Geral de Imóveis), em um total de 59 milhões de habitações recenseadas pela PNAD. Esse número corresponderia a mais do que o dobro do estimado déficit habitacional que o programa federal Minha Casa, Minha Vida tem procurado estreitar.

O déficit estimado de regularização imobiliária oferece, portanto, ao governante uma oportunidade inestimável de fazer muito com muito pouco, a mais feliz das equações da política, pois é propiciar a materialização do sonho de milhões de eleitores com desembolso financeiro não significativo perante o benefício social alcançado e, sobretudo, incomparavelmente inferior ao choque de riqueza criado, de uma só vez, no patrimônio familiar desses donos informais de imóveis em favelas e ocupações.

O custo financeiro do Projeto Cantagalo, mesmo quando adicionado aos valores incorridos e absorvidos pelo Instituto Atlântico e pelos escritórios de advocacia *pro bono*, ainda assim foi vastamente inferior aos ganhos propiciados diretamente aos moradores contemplados. A grande maioria desses, inclusive os mais pobres, se prontificou a cobrir os

---

na base da pirâmide de rendas familiares, com uma hipótese (conservadora) de que 50% delas sejam informais. Cotejando com a proporção de informalidade fundiária observada pelos especialistas nas principais cidades brasileiras, concluímos pela dimensão do déficit de regularização adotada no texto. Em pesquisa de 1997, para *O mistério do capital*, op. cit., p. 48, De Soto estimava haver 44 milhões de moradias urbanas informais na América do Sul, valendo, cada uma, em média, cerca de 20 mil dólares. O Brasil teria pouco menos de 50% delas, algo como 20 milhões de moradias. Utilizamos aqui umas hipóteses mais conservadoras: 15 milhões de moradias tituláveis e valor médio de 20 mil reais por unidade. Isso formaria, então, uma riqueza imobiliária, dos pobres informais, de 300 bilhões de reais.

custos *pro rata* do Projeto. Não foi necessário tal desembolso, pois os patrocinadores do Projeto Cantagalo fecharam questão em torno de bancar seus custos totais. Em tese, porém, uma vez superado o risco decorrente da dúvida quanto ao êxito final da empreitada, o morador da "cidade de chegada" tem interesse e detém a capacidade financeira para cobrir o custo de sua própria legalização. Esse aspecto torna a massificação da titulação imobiliária no Brasil uma operação financeira não deficitária para qualquer Erário que pretenda conduzi-la.

Mas supondo que o governo federal tenha pressa e queira cobrir o custo de implantação de um projeto como o Cantagalo, excluindo dessa conta o custo direto da escrituração e registro da propriedade, pelos estimados 15 milhões de moradias irregulares no país, o custo direto do programa, em nível nacional, dificilmente excederia a marca de 7 bilhões de reais, em desembolsos parcelados e espalhados ao longo de quase uma década. O orçamento do Ministério das Cidades poderia bancar sozinho esse desafio financeiro, se tivesse a tecnologia de mobilização social para realizar a tarefa.

O mais espantoso é que o custo total dessa verdadeira revolução social corresponde a menos de metade de um único desembolso anual do Bolsa-Família. Se comparado ao custo financeiro da rolagem da dívida pública interna, um programa nacional de titulação da propriedade no Brasil corresponderia a menos de dez dias em juros da dívida do governo!

Do lado dos ganhos, tanto capturados pelos novos proprietários quanto absorvidos por toda a sociedade, a conta também é surpreendente. Pela experiência do protótipo do Cantagalo, se fossem titulados, os 15 milhões de imóveis informais no Brasil teriam uma valorização média, elas por elas, da ordem de 10 mil reais por propriedade. Evidentemente, a situação fundiária do Cantagalo é muito peculiar e distinta de uma média brasileira, pois ali estamos em Ipanema, frente ao mar. No Cantagalo, as valorizações ocorridas, pela mera expectativa do registro, são de dobrar o valor do imóvel, mesmo desconsiderando os impactos concorrentes, da chegada da UPP e da valorização produzida pelo ciclo recente de maior procura imobiliária no Rio de Janeiro.

A conta do impacto da titulação em nível nacional é simples. Se a média de valorização com a titulação da propriedade for da ordem de 10 mil reais, estamos diante da possibilidade de um choque direto e imediato, em termos de *acréscimo* de riqueza, para os brasileiros pobres, da ordem de 150 bilhões de reais, em nível nacional.*

Estamos falando, portanto, de um enorme *choque de riqueza* sobre o total do patrimônio original das pessoas pobres no Brasil. Essa seria uma política social muito mais arrojada do que a atual, pois essa última ainda opera sobre os fluxos de rendimentos que o pobre leva para casa, mensalmente. Aqui não; a proposta não é atuar sobre fluxos, mas sim diretamente sobre o valor do estoque acumulado do patrimônio do cidadão informal. Isso é riqueza nova, acrescentada de uma só penada, produzida sem gasto público relevante (o custo do

---

* Quando o "capital morto", na expressão de De Soto, sofre o choque positivo de sua regularização, qualquer que seja seu valor original, há um acréscimo expressivo de riqueza. Nesta abordagem do Projeto Cantagalo, estamos mais interessados em medir o tal *choque de riqueza* do que estimar o capital morto inicial.

programa não excederia a 5% do ganho de riqueza) e sem tributação da riqueza preexistente.

O valor do *choque de riqueza* acrescentada, de 150 bilhões de reais, corresponderia, a título de comparação, a cerca de 20% da riqueza previdenciária hoje acumulada nos trezentos fundos de pensão existentes no Brasil. Os fundos de pensão privados vêm acumulando essa riqueza por mais de trinta anos, desde 1977, quando começaram a se organizar. O programa de titulação nacional que estamos propondo, no entanto, adicionaria o correspondente a 20% da riqueza acumulada dos fundos atuais, só que da noite para o dia!

Seria dramático o impacto social que tal acréscimo de riqueza propiciaria ao cidadão nas classes C, D e E, por efeito da elevação súbita do seu pequeno patrimônio imobiliário, atuando diretamente sobre uma parcela da população que hoje está excluída dos benefícios da previdência complementar. Tudo poderia ser conseguido em menos de dez anos, em dois mandatos presidenciais. E com retorno direto sobre uma população estimada em quatro pessoas por moradia (um número bastante conservador), ou seja, cerca de 60 milhões de indivíduos, 30% da população total, localizada maciçamente na base da pirâmide de renda e riqueza. Compare-se esse imenso contingente com os 2,5 milhões beneficiados pelo privilegiado sistema dos fundos de pensão. Ou com os 13 milhões de beneficiários do INSS. Em qualquer hipótese, a titulação da propriedade se destacaria como muito mais incisiva e abrangente em seus impactos.

Costumo destacar, entretanto, que os benefícios patrimoniais multibilionários do Projeto Cantagalo são quase secundários diante do que virá na esteira das transformações sociais, psicológicas e macrourbanas produzidas por "aquele pedaço de papel". Que dizer das motivações íntimas do indivíduo que virou dono do seu pedaço de chão? Da supressão de uma parte importante de seus justificados receios, ao fechar a porta de casa para ir trabalhar? Da sua motivação no trabalho, nos investimentos, inclusive na própria casa, e na ascensão social de seus parentes? Investirá mais ou menos na educação dos filhos? Cuidará mais ou menos da própria saúde? Será maior contribuinte da arrecadação fiscal ou mais demandador de gastos públicos? Votará com mais consciência e liberdade ou agirá como escravo dos mimos de um político ocasional? Sentirá mais de perto os deveres associados à cidadania ou persistirá no cacoete da mão estendida aos donos do poder local ou federal?

São perguntas que trazem consigo suas próprias respostas, dispensando-se o zelo de discursar-se sobre o óbvio. Por que, então, nenhum programa de governo tem dado, até hoje, a prioridade institucional requerida à titulação da propriedade no Brasil ou em outros países? A resposta só interessa para efeito de remoção dos obstáculos.

Lembremos, em primeiro lugar, o erro do Brasil de não combater a inflação, como deveria, por duas décadas perdidas. A imensa riqueza que a inflação brasileira devorou não tem paralelo na história mundial dos maiores desperdícios coletivos. Se alguém fizesse a conta antes, nunca teria deixado acontecer. Mas aconteceu, por pura ignorância da elite supostamente especializada em fazer as contas desse tipo, associada à obliteração dos espíritos, quando a visão da planície prevalece sobre a antevisão do altiplano. No caso da inflação, foi a população brasileira que gritou vários "basta!" para que a elite se motivasse a estabilizar a moeda do país sem recurso à feitiçaria econômica. No caso da titulação da propriedade, o grito é por acesso mais amplo e democrático à riqueza subjacente no estoque de equipamentos urbanos.

Tenho um cálculo pessoal sobre o que vale o Projeto Cantagalo, uma vez universalizado a todos os brasileiros. *O estoque da riqueza imobiliária nacional poderá sofrer um acréscimo de 1 trilhão de reais.* Uma parte desse ganho enorme será absorvida e acrescentada aos seus beneficiários diretos nas "cidades de chegada", enquanto outra parte ficará com o asfalto adjacente, sob a forma de um país onde será melhor e mais valorizado viver. Estou falando de um choque de riqueza capaz de produzir um acréscimo de 20% ao valor atual do patrimônio imobiliário brasileiro. Isso se traduzirá em um aumento de 10% na renda *permanente* de todos os brasileiros, ano após ano.*

Nada mal para um galo que canta apenas para fazer despertar o sol da manhã. Quem sabe poderia o galo despertar nosso senso de urgência para essa ação social transformadora.

---

* O patrimônio imobiliário nacional é estimado em 5 trilhões de reais. O acréscimo final de riqueza imobiliária, pela titulação dos imóveis informais, é estimado em 1 trilhão de reais, correspondendo a 20% a mais, sobre o patrimônio imobiliário original e atual. Desse 1 trilhão de reais de acréscimo, 150 bilhões seriam pelo efeito imediato da titulação. Mais 150 bilhões de reais, por efeito de investimentos induzidos pela valorização, pois os novos proprietários se animariam a investir, eles próprios, nos imóveis valorizados. E outros 150 bilhões, decorrentes de investimentos em infraestrutura e serviços públicos, dentro e no entorno dessas comunidades. O subtotal de riqueza acrescida, da ordem de 450 bilhões, em valorização direta para os ex-informais, seria facilmente reproduzido na cidade formal, pela valorização dos bairros adjacentes. Daí a estimativa, arredondada, de um aumento nacional de riqueza, no decorrer de uma década, de 1 trilhão de reais. Tal acréscimo de estoque de capital brasileiro geraria, por sua vez, um aumento permanente da renda nacional, per capita, em 10% sobre os valores atuais, correspondendo não só a expressivo aumento do poder de compra dos brasileiros, como também da capacidade de arrecadação tributária dos governos. Ganhariam todos.

19

Papel da cultura no Projeto Cantagalo

Denise Carvalho*

Em termos de cultura nacional, o Projeto Cantagalo representa uma grande mudança na participação, mobilização e organização de comunidades em direção à cidadania brasileira. A regularização fundiária dos terrenos nas favelas é produto de uma transformação da interatividade cultural orgânica e de uma conscientização de atitude comunitária na sociedade.

O Projeto Cantagalo nasceu da articulação entre profissionais distintos envolvidos numa mesma causa: criar possibilidades de viabilizar e regulamentar situações econômicas, sociais e administrativas até então consideradas impossíveis. Em seu papel de facilitar o relacionamento entre a comunidade e o bairro, os participantes do Projeto Cantagalo se uniram a artistas, intelectuais e profissionais visionários, trabalhando para expandir a consciência social e a autonomia da comunidade. A formação de uma cidadania comu-

---
* PhD em estudos culturais, curadora de arte em Nova York.

nitária, removendo divisões sociais e conferindo direitos básicos a todos, é o objetivo final.

Nessa vertente, as artes e a cultura há muito vêm se identificando com processos interativos comunitários, interdisciplinares e de consciência social. Nos anos 1960 e 1970, artistas como Hélio Oiticica, Antônio Manuel, Cildo Meireles, Ivan Serpa, Artur Barrio, Lygia Pape e Lygia Clark, entre outros, modificaram o papel da arte como fator crítico e político numa dinâmica social de inclusão. Hélio Oiticica, por exemplo, fez várias instalações e *performances* na favela da Mangueira, nas ruas e em museus, enfatizando a importância da arquitetura orgânica das favelas como exemplo no repensar das questões estéticas da arquitetura social.

Suas séries *Penetráveis* e *Tropicália* questionam, ainda nas décadas de 1960 e 1970, as divisões sociais e culturais, através de uma contínua experimentação e transformação do espaço urbano. Outra inovação do artista foi sua série *Parangolés* (1961-1974), em que ele une o neoconcretismo estético à performatividade do sambista mangueirense, transformando o objeto de arte estático em um híbrido de objeto/corpo em movimento.

A partir de meados dos anos 1990, artistas emergentes uniram-se para criar coletivos e colaborações, no intuito de retomar o diálogo com as chamadas periferias. Em suas ações, os coletivos protestavam contra a falta de acesso artístico e cultural dos moradores periféricos e contra a opressão e invisibilidade das comunidades marginalizadas. Artistas como Márcia X e Ricardo Ventura fizeram várias *performances* em favelas do Rio, como o Complexo do Alemão, por exemplo, evidenciando a corrupção policial no mercado de cocaína.

Devotionalia (1994-1997), outro exemplo, foi um projeto artístico de colaboração entre os artistas Maurício Dias e Walter Riedweg com dezenas de meninos de rua. Através de um estúdio ambulante, os jovens foram incentivados a criar esculturas de cera de suas mãos e pés, representando ex-votos ou amuletos que trazem sorte e proteção para aqueles que os possuem. O projeto finalizou com uma exposição no MAM do Rio de Janeiro e mostras no Congresso Nacional, em Brasília, e nos Arcos da Lapa. A participação dos meninos na abertura da exposição do MAM enfatizou a importância do acesso aos museus de grupos excluídos da sociedade.

Em memória das chacinas da Candelária e dos Arcos da Lapa, Dias e Riedweg filmaram 86 horas de entrevistas com os meninos, antes de muitos deles serem também assassinados. O projeto também incluiu uma série de videoconferências, através da internet, com vinte deputados e senadores em um debate com 18 organizações não governamentais sobre o estigma que paira sobre esses jovens.

Artistas e intelectuais, trabalhando em diálogo com as classes excluídas, já se deram conta de que as mudanças sociais necessárias só se realizam por meio da união. No início e nos meados dos anos 2000, coletivos de artistas, como Bijari, Urucum, ARNST (A Revolução Não Será Televisionada), Atrocidades Maravilhosas e Frente 3 de Fevereiro, invadiram as ruas, levantando questões sociais que se mantinham "invisíveis". Atrocidades Maravilhosas, por exemplo, se apropriava de métodos e estratégias de mídia para criar mensagens que colocavam criticamente a questão do consumismo excessivo e indiscriminado, que dá prioridade a um mercado puramente materialista sem sequer levar em conta a situação de pessoas que não têm onde morar ou o que comer.

A Frente 3 de Fevereiro, em São Paulo, por exemplo, utilizava propaganda para dar visibilidade a situações de impunidade e violência da polícia. Outro exemplo é o coletivo Jamac (Jardim Miriam Arte Clube), também em São Paulo, que alugou uma casa na periferia de Jardim Miriam para introduzir cursos de artes visuais, fotografia, jardinagem e teoria de arte aos seus moradores. O *Jamac* também convidou o cientista social João Carlos Haddad, professor da USP, e o advogado Fernando Furriela, como consultores e representantes legais e gratuitos dos residentes do Jardim Miriam.

Para o diretor de teatro Marcos Vinícius Faustine, o papel da cultura tem de ser crítico, para instigar e consolidar novas direções sociais no país. Pessoalmente, o teatro lhe deu a possibilidade de perceber a vida por vários ângulos. Segundo Faustine, o teatro é uma extensão da vida. "Estamos vivendo numa época em que o sujeito ou indivíduo se tornou o consumidor. O homem de hoje é um herói trágico, marginal, sem identidade ou raça. Para ele, o mundo de hoje é abertamente acessível. Não há diferença entre culturas. Tudo já foi assimilado pela mídia e pelos processos tecnológicos. Até o cidadão periférico consome o seu próprio estereótipo."

Faustine afirma que não adianta levar uma exposição de Picasso ou o teatro de Shakespeare para as favelas. Isso já não é uma experiência cultural. A experiência cultural está terminando. Ele levou uma produção de Shakespeare com sons e movimentos do AfroReggae para as favelas em 2004, mas, como ele diz, a lógica dos processos de marketing representando essa relação histórica e cultural remete a novas formas de divisão, a novos estereótipos a serem consumidos. Para ele, os processos de mediação (tecnológicos ou de mídia) estão destruindo o evento cultural. "As nossas representações culturais estão corruptas. O que precisamos é desconstruir os processos culturais através de uma mudança nos espaços e nas plateias."

Isso nos faz voltar à situação do Cantagalo, que por sua localização, em Ipanema, com vista para o mar e com acesso ao centro da cultura urbana, permite que os moradores se sintam participantes ativos da comunidade. O Projeto Cantagalo vem a facilitar o relacionamento entre a comunidade e os bairros do entorno. Para os moradores do asfalto, essa possibilidade de integração transforma insegurança em proteção, preconceito em agenciamento de cidadania. A estética do Projeto Cantagalo é uma estética de coletivização.

O jornalista canadense-britânico Doug Saunders, em seu livro *Arrival City*, diz que não podemos mais negligenciar as comunidades excluídas. Para ele, a solução seria encorajar o surgimento de uma nova classe média, abolindo a miséria e a pobreza rural e a falta de igualdade social. O que ele propõe é que comecemos a ver esses grupos excluídos, ou o que ele chama de *arrival city* ou "cidade de chegada," através de suas funções cruciais na sociedade.

A primeira função é a sua capacidade de *networking*, na qual uma rede de relações humanas, que conecta a "cidade de chegada" à cidade formal, vai aos poucos sendo alinhavada, dando ao habitante recém-chegado uma autoidentidade.*
Podemos estabelecer um paralelo entre essas "cidades de che-

---
* Douglas Saunders, op. cit.

gada" de Saunders e nossas favelas, que existem em um certo espaço social, como comunidades inoperantes, cuja rede de relações humanas, no entanto, propicia novas funções entre grupos comunitários. O primeiro passo é transformar o potencial orgânico dessas "cidades inoperantes" em centros operativos através das redes comunitárias.

Essa foi a iniciativa básica do Instituto Atlântico. Para o filósofo francês Jean-Luc Nancy, as comunidades inoperantes trazem em si uma nova definição em seu potencial de rede, a função comunitária que se inicia como desejo de participação de seus membros resultante da necessidade.* São essas iniciativas de circuito e autoparticipação que transformam uma comunidade inoperante numa rede de intercâmbios e colaborações, o que poderíamos chamar de *comunidade molecular*.

A "revolução molecular", título esse que referencia os escritos dos filósofos franceses Gilles Deleuze e Félix Guattari, começou nos mananciais intelectuais, antes de se vincular aos processos orgânicos das comunidades periféricas, transformando questões sociais, até então invisíveis, em intervenções culturais *de fato*. Como se deu conta Félix Guattari, após sua visita ao Brasil nos anos 1980, em suas próprias palavras, não há melhor exemplo do que aqui sobre o que tem ocorrido, em termos de relações humanas, entre as comunidades periféricas e outros grupos minoritários da sociedade.

Em seu livro *Revolução molecular no Brasil*, escrito com a crítica cultural Suely Rolnik, Guattari afirma que as minorias

---

* Jean-Luc Nancy, *The Inoperative Community*, Minneapolis/Londres, University of Minnesota Press, 1991.

econômicas devem ser reconhecidas, primeiramente, como o que de fato são, grupos econômicos minoritários, e, segundo, como grupos entre outros grupos sociais minoritários, extraindo-os da situação de singularidade e estigma em que se encontram.* Nisso podemos concluir a importância dos processos comunitários de viabilização de mudanças sociais que, de outra forma, não sairiam de um estado de limbo, como documentos nas gavetas de burocratas e políticos.

Esses "grupos minoritários alados", representados por times de artistas, intelectuais ou de outros profissionais que trabalham para modificar a situação das comunidades — como o Instituto Atlântico — formam um movimento de cooperação, de relações descentralizadas de poder, de tal modo que, em um sistema de articulação e ação transversal, conseguem pressionar para alcançar mudanças essenciais de cunho social e político, na linha do que propõem Doug Saunders e outros observadores sociais.

A tal revolução molecular na sociedade brasileira se dará pela quebra dos dispositivos sectários, das singularizações e cooptações de poder. Precisamos é cuidar, permanentemente, para que essa revolução não acabe se transformando em retórica evasiva, em estratégias de manipulação ou mero instrumento de campanha política.

---

* Félix Guattari e Suely Rolnik, *Molecular Revolution in Brazil*, Nova York, Semiotext(e), 2007. Originalmente publicado como *Micropolítica: cartografias do desejo*, Petrópolis, Vozes, 1986.

20

"República Cantagalense": novas pautas na favela-cidade

PAULO RABELLO DE CASTRO

"É preciso operar os sonhos."*

A propriedade privada é apenas uma ferramenta da organização humana. Poderosa como é, devendo ser respeitada, conforme as normas que cada sociedade lhe atribui, não constitui, entretanto, a expressão de um direito inalienável, com eventuais qualidades pétreas. Pelo contrário, a propriedade é um instituto essencialmente dinâmico, porque relacionado ao direito de dispor de um bem. Adquire-se, conserva-se e se perde a propriedade, tudo de acordo com regras emanadas da sociedade. O direito da propriedade não é algo congelável, especialmente numa sociedade pós-moderna, em que outras relações fundamentais também vão mudando de formato velozmente.

---

* Autor desconhecido.

A propriedade é um instituto que, não podendo ser rígido, deve atribuir "segurança" a quem a detém. Essa é sua essência, meio como na paráfrase romântica do nosso poeta, "que seja eterna enquanto dure!" A duração de qualquer propriedade depende dos cuidados em torno de sua conservação. Quem não cuida perde o bem, quer porque este pode se deteriorar, quer por abandono, sendo assim perdido para outro dono que dele se aproprie sem oposição. Esse é o princípio aquisitivo da usucapião, que vimos permear todo o conceito jurídico por trás do Projeto Cantagalo.

Quando iniciamos a jornada, em meados de 2007, não havia se firmado, ainda, no direito positivo brasileiro, a usucapião administrativa, que veio a ser aprovada em 2009, no bojo da legislação que criou o programa Minha Casa, Minha Vida. Sábio legislador, frequentemente tão denegrido. Ao lado de estimular construção popular de novas casas, o legislador viu a oportunidade de vivificar o "capital morto" de milhões de moradias já construídas, porém à margem do registro que as transforma em propriedades. Capital morto, na feliz e clássica definição de Hernando de Soto, nosso distante inspirador nesta jornada, por serem posses residenciais e comerciais sem os atributos de dinamismo econômico numa sociedade realmente democrática. Esses atributos seriam os formidáveis direitos associados à propriedade, como o de oferecer o bem como garantia; o de ceder a outrem, com cláusula de retomada; o de deixar como herança; o de repartir, emprestar ou alugar; e finalmente, o mais importante de todos, o de vender a quem for, sempre respeitando as regras de entorno, essas derivadas do condomínio, da vizinhança, da conservação do ambiente e das posturas municipais.

Do direito à propriedade nascem imediatamente os deveres a ele associados, razão de se poder afirmar que o exercício da propriedade por um indivíduo é manifestação da plenitude de sua "cidadania", isto é, de sua capacidade de "ocupar e possuir a cidade", que é sua, compartilhadamente com todos os demais que lá habitam. Os deveres gerais da convivência emergem de modo instantâneo da relação de propriedade entre um indivíduo e o bem de que desfrute. Essa é uma relação que parece ser monogâmica, bilateral, mas transborda essa condição desde o momento em que nasce, para se assumir como multilateral, envolvendo os vizinhos, o poder público, o mercado imobiliário em que se insere, a natureza e por aí vai, numa rica gama de relações que produzem direitos e deveres ao tal cidadão proprietário do bem. Entretanto, muito menos acontece quando o direito que amarra o indivíduo ao bem não é a propriedade, mas apenas uma cessão para uso, um direito de superfície, um empréstimo qualquer, mesmo de longa duração. É a propriedade que concretiza a inserção cidadã do morador da *polis*. E pode-se dizer mais: mesmo não sendo ele próprio o dono, mas um locatário, é diferente quando aluga o imóvel de um proprietário, pois a segurança jurídica desse último se transmite ao primeiro como estabilidade da posse adquirida. O direito de propriedade de um é a tranquilidade do outro, que a usufrui.

Tais características da propriedade (ou da ausência dessa) estão longe de ser platitudes acadêmicas. Estão presentes na vida diária dos moradores do Cantagalo. Foi o que observamos aí desde o primeiro dia do nosso Projeto. A conquista da propriedade, como direito ostensivo daquela comunidade, contra qualquer oposição a tal pretensão, veio trazer para cada morador um desafio de se inserir na governança do seu local, de um modo bem diferente daquele com o qual estava habituado.

Numa recente novela da Rede Globo, que bem retrata as relações numa favela carioca, inspirada na comunidade de Rio das Pedras, é o "chefe da favela", o morubixaba da localidade, estrelado pelo competente Antônio Fagundes, que recebe os moradores para reconciliar seus atritos de vizinhança, deliberar sobre obras diversas, mitigar conflitos mais sérios ou ordenar a realização de uma contribuição compulsória, que no asfalto seria chamada de imposto. Ali, na informalidade sem propriedade, o chefe é a lei. Pode ser chefe do tráfico, da igreja, do comércio local ou até da UPP lá instalada, ou de qualquer outra fonte de poder derivado. Mas não tem, nem pode transmitir, a *estabilidade* decorrente da constituição da cidade. A segurança civil, ou seja, a segurança que é atributo também da propriedade, é aquela que provém da definição da *polis* como cidade formalmente constituída. E, portanto, democrática. Ninguém melhor do que o secretário de Segurança Pública do Estado do Rio de Janeiro, José Mariano Beltrame, assim o definiu: "A segurança civil, da propriedade de cada casa [na favela do Cantagalo], é que vai completar e consolidar a tarefa da UPP. Sem essa segurança civil, do título na mão do cidadão, não há polícia nem segurança pública que dê jeito." E essa é a insuspeita convicção de quem mais fez pela segurança pessoal dos cariocas nas últimas décadas.*

---

* Essa declaração se encontra registrada no pronunciamento do secretário ao saudar uma plateia de moradores e interessados, quando da entrega, pelo Instituto Atlântico, dos primeiros documentos de planta baixa dos imóveis no Cantagalo, em 27 de março de 2010.

Qual a pauta social coletiva, portanto, que se abre no advento da concessão dos primeiros títulos de escritura de doação no Cantagalo pelo governo do estado? Para além da manutenção do patrulhamento do local, da limpeza pública mais rigorosa, da observância de posturas edílicas, da chegada de serviços de atendimento à saúde mais confiáveis, o que o novo cidadão do Cantagalo demandará diz respeito à segurança e à confiança nas instituições que pretendem subir o morro, figurativamente, para substituir a figura do antigo chefe local. Que não nos enganemos com a facilidade apenas aparente de tal substituição. Mesmo no asfalto, dentro do ambiente convencional da sociedade regida pelo direito positivo, as manifestações decisórias do poder público e sua prestação de serviços costumam deixar muito a desejar, e isso não é só no Rio; é problema nacional.

Invoquemos agora, numa reflexão sincera, quais as chances reais de o poder público levar a qualquer "cidade de chegada" a força de uma presença eficiente e ágil, minimamente comparável ao poder e à rapidez decisórias de um chefe de morro? São mínimas essas chances. Portanto, é quase certo que a consciência cidadã, trazida, em um primeiro momento, pelo título de propriedade, se converta gradualmente em frustração ou novo *déficit de cidadania*, em virtude da ausência, ou presença capenga, da governança oficial, da cidade formal, na cidade de chegada. Governança é o nome do jogo. As novas pautas, no momento da titulação, são agendas de governança, muito mais do que de melhorias substanciais no grau de conforto, urbanização do local ou nível de serviços públicos prestados.

É bastante comum, até esperado e compreensível, que as autoridades que promoveram a titulação se sintam comprometidas a "levar o resto das benfeitorias". Duvido, entretanto, que seja isso que o novel-cidadão cantagalense esteja mais esperando. Por óbvio, o cantagalense não ficará contrariado se serviços forem oferecidos de mão beijada, se o governo melhorar passagens de acesso, muito menos se imponentes elevadores o levarem até a porta de casa. Mas a estrutura política no Cantagalo continuará tão frágil quanto antes. E, da mesma forma, pelos mesmos motivos, a segurança civil do local.

É de uma nova governança que o cantagalense mais carece. Essa é a realidade que se repetirá, *sem exceção*, em cada nova comunidade formalizada pela propriedade. As pautas da ação governamental no morro têm de girar, preferencialmente, sobre governança, governança e governança. Mas isso é difícil. Primeiro porque o poder, na cidade formal, é tripartite: federal, estadual e municipal, tendo ainda as administrações descentralizadas de governo, para complicar mais. Cada um tem sua leitura do morro e sua própria agenda. E não se conversam, feitas honrosas exceções. Esse é o ambiente perfeito para se gerar um déficit de cidadania, logo no começo do programa que pretenderia justamente o oposto como objetivo.

E ninguém se lembrará de perguntar aos interessados, os cantagalenses, o que fazer e como, pois — entendem as autoridades — seria uma absoluta inversão de papéis. O representante do asfalto normalmente já sobe o morro disparando. Não tiros, mas ordens, comandos, principalmente negativas, como vedações expressas, proibições. São recebidos com respeito e distância pela população. Essa se alargará com o tempo, enquanto o primeiro minguará. O estranhamento conduzirá à desconfiança mútua, à ineficiência dos éditos e à impressão de que "*esse povo gosta mesmo é de zona e de sujeira; não consegue obedecer a uma única regra...*".

Será isso? Onde estará Juvenal Antena, o chefe da Portelinha, na novela das oito da Globo, que cuidava da favela e não deixava que ela fosse tomada pelo desmando e pela criminalidade explícita? Esse é o capítulo que permanecerá aberto neste livro e a lacuna remanescente do Projeto Cantagalo: explicitar a governança local de modo apropriado à transição em curso — que é lenta e gradual — até a cidade de chegada virar cidade na cidade formal.* Esse é o tempo que precisa ser identificado, reconhecido, respeitado e, inclusive, estimulado, na nova "república cantagalense". Não é desafio pequeno para um prefeito, seus assessores, ou mesmo para o governador e seu importante time, vestirem as sandálias da humildade, ao subir o morro, para perguntar como estruturar o micropoder nessa pequena Lietchtenstein dos trópicos.

Cientes desse desafio, e perceptivos de que qualquer governo gosta mais de entregar obras, nos dedicamos à busca de uma realização icônica que, na visão do cantagalense, pro-

---

* Para evitar sequelas da esperada e inevitável valorização dos imóveis, uma série de dispositivos condominiais deveria ser implantada, principalmente regras e regimentos pactuados pela própria comunidade. Nada disso ainda está sendo planejado no bojo da titulação estadual, mas deveria ser objeto de detalhado estudo e rápida concretização. A razão é simples: toda favela é um condomínio informal; tem de observar regras e posturas locais. Mesmo em caso de alienação de imóveis, algumas restrições aplicáveis podem ser capturadas pelo regimento condominial. Essa é a mais importante lacuna na nova governança das favelas que se formalizarem.

jetasse nele uma justificada esperança de nova ordem jurídica e política na sua microrrepública, acompanhando a titulação da propriedade. Procuramos seguir os conselhos que damos aos outros: perguntar "às vítimas", ouvir os líderes e o povo. A resposta estava à nossa frente, tão nítida que não a reconhecíamos. Tínhamos de ajudar a implantar o novo governo visível, com o mínimo de solenidade que uma república invoca em seus primórdios. Após a Revolução Americana, George Washington percebeu a conveniência de construir uma nova sede de governo. O pai da nação americana não era de jogar dinheiro fora, tinha horror à gastança, típico dos homens que tiram da terra seu árduo sustento. Nunca tomou tostão do novo governo. Mas resolveu gastar no que, hoje, é a imponente capital que leva seu nome. Por quê?

Numa versão *light* dessa solução histórica para uma nova nação, a república cantagalense carece de uma sede para sua Associação, que é o *locus* mais evidente do poder local que se substitui à ditadura do tráfico. É a democracia das decisões por maioria, convocadas desde a primeira sessão do Projeto Cantagalo, agora reproduzida em maior diapasão numa sede, fisicamente evidenciada através de uma construção, embora modesta, que se sobressaia como proposta arquitetônica expressiva dos direitos e deveres que acompanham a propriedade formal e plena.

Essa sede é o local onde se espera que o poder colegiado dos cidadãos se reúna com frequência, apoiando o presidente Bezerra e os que venham após sua transformadora gestão. Esse também é o local que deve abrigar um representante do registrador de imóveis, tarefa que substituirá as fichas da Associação nas transações de compra e venda. Essa também é a localização ideal do Pouso, o Posto de Orientação Urbanística e Social da Prefeitura, que tem função relevante na condução do processo transitivo da edificação informal para a nova realidade do *habite-se*. Isso também será gradativo, nunca de um só golpe como pretenderia um burocrata menos atento à realidade da nova república do Cantagalo. Finalmente, a sede do governo é a sede da convivência pacífica, o local das aulas de formação e de preparação, de jovens ao mundo trabalho, de futuras mães e, sobretudo, de potenciais empreendedores, no morro ou no asfalto.

A nascente república carece de informação e de orientação, mais do que de cimento e tijolo. A sustentação da segurança civil trazida pelo registro da propriedade requer a sustentação econômica das inovações. O empreendedorismo na favela é reprimido; a condição da legalidade no morro é a certidão de pobreza. Isso precisa mudar radicalmente. Negócios devem ser legalizados prontamente. Espaços comerciais devem ser encorajados, com as devidas considerações urbanísticas. Estudantes devem ter lugar de encontro marcado na sede do Cantagalo com os livros, com a *web*, com o debate do contraditório. E, mais uma vez, é na sede da república que tais ferramentas da democracia e da inclusão verdadeira devem estar disponíveis.

Não são os metros quadrados de construção de uma sede associativa que habilitam uma comunidade a defender e a sustentar sua personalidade coletiva. A propriedade do chão, a segurança do título registrado, é a precondição necessária, seminal. Contudo, a existência ostensiva de um lugar onde "habitam" tais direitos da cidadania, e onde esses possam ser defendidos, é uma referência visível a todos, representando a transformação da favela em cidade, e devendo constar, como iniciativa indispensável, em todos os projetos de reformulação fundiária com objetivo de titulação e de mudança social. Mas, sobretudo, haveremos de buscar no elemento humano, nos líderes locais e na solidariedade desprendida dos cidadãos do asfalto os elos suficientes, a ponte invisível, entre um passado de esperançosas privações e o futuro de uma assertiva confiança na conquista de uma governança de alta participação política.

posfácio

SER DONO DO PEDAÇO: A PROPOSTA POLÍTICA DO CANTAGALO

MERVAL PEREIRA*

> "A redoma de vidro [apontada por Braudel] faz do capitalismo um clube privado, aberto somente a poucos privilegiados, e enfurece os bilhões que estão de pé, do lado de fora, olhando para dentro."
>
> Hernando de Soto**

Estamos vivendo no Rio de Janeiro experiências de ocupação dos espaços públicos que são essencialmente políticas. A ideia principal das Unidades de Polícia Pacificadora (UPP) que estão sendo espalhadas pelas diversas favelas, cujos territórios o Governo do Estado está recuperando para a cidadania, não é acabar com o tráfico de drogas — por completo, seria tarefa impossível — mas, sim, com o domínio dos bandidos sobre o território das favelas. Interessa mais a essa política liberar as favelas para os cidadãos do que propriamente

---

* Colunista do jornal *O Globo*, analista político da GloboNews e membro da Academia Brasileira de Letras.
** *O mistério do capital*, op. cit., p. 84.

impedir o tráfico e prender traficantes. Sucessivos governos deixaram esses criminosos tomarem conta das favelas da cidade e agora, para alcançar uma pacificação desses territórios, é preciso devolver ao estado o chamado "monopólio da força", no qual os criminosos dominam.

Para além dessa ação, uma experiência pioneira acontece no morro do Cantagalo, fincado entre Copacabana e Ipanema, no coração da Zona Sul do Rio, laboratório do que seria uma consequência concreta da ação do Governo do Estado de retomar o controle territorial com as UPPs. Com a diferença de que a iniciativa, no caso do Cantagalo, foi da sociedade e tampouco esperou pela chegada da UPP ao morro. Antecipou-se no tempo. Com o financiamento do Instituto Gerdau e o apoio de escritórios de advocacia e de engenharia, o Instituto Atlântico, entidade apartidária, cuja missão é propor e testar, na prática, políticas públicas inovadoras, desenvolveu um projeto de cadastramento geral dos moradores para conceder a titulação plena dos possuidores de lotes e unidades residenciais. Quase 1.500 domicílios e cerca de 5 mil moradores, a vasta maioria deles morando lá há mais de 20 anos, foram mobilizados durante meses, ao longo de 2008 e 2009. E com a chegada, mais recentemente, da UPP, o território do Cantagalo, que antes era dominado pelos traficantes, hoje tem donos e a organização fundiária de uma comunidade passa a ser parte essencial de um amplo projeto de segurança para os próprios moradores e bairros circunvizinhos.

Tudo foi feito com base em um conjunto de técnicas de intervenção comunitária, inspirado no princípio da auto-organização, a que o Instituto Atlântico chamou de uma "tecnologia social". Por meio da Associação dos Moradores local, toda a população do Cantagalo participou das discussões do projeto desde o início e todos os moradores deram autorização por escrito para o levantamento. O aumento dos encargos tributários e de tarifas de serviços públicos, como consequência da regularização e do título definitivo, por exemplo, foi muito debatido. Tive a oportunidade de acompanhar o relato vivo dessa experiência inédita em algumas reuniões de revisão e acompanhamento do projeto, durante seu desenrolar.

A participação da comunidade na definição de seus próprios interesses é exemplar de uma política pública que queira incluir os moradores das favelas do Rio como parte da solução dos problemas. A comunidade do morro do Cantagalo tem as mesmas características básicas das demais favelas da cidade. Há estudos que demonstram que a infraestrutura essencial nas favelas não é significativamente diferente de outras partes urbanizadas da cidade. Nas favelas do Rio, quase todos os imóveis são próprios, com exceção da Rocinha, onde 33% são alugados. No Cantagalo, 77% dos imóveis são ocupados pelos próprios donos. Mesmo que o Estado e a sociedade estejam presentes, de várias formas, nas favelas, mesmo que os serviços de infraestrutura sejam basicamente os mesmos de algumas regiões da cidade e as falhas na segurança ocorram apenas por causa da falta de policiamento ostensivo — coisa que, aliás, anda faltando em muitas partes da cidade, até nas mais desenvolvidas —, a participação direta da comunidade nas decisões do Cantagalo acabou se tornando o aspecto político fundamental desse projeto, que o direito à propriedade só fez ressaltar.

A ação prioritária, portanto, após a retomada definitiva do território conquistado do tráfico e a efetiva pacificação das favelas, seria a formalização dos negócios e a regularização da situação fundiária dos imóveis lá existentes, com o devido *habite-se*. Esse exemplo pioneiro de cidadania, já o temos na experiência do Cantagalo, onde a iniciativa privada e o Estado se encontraram em um lugar comum para gerar, juntos, uma solução sem precedentes.

Num mundo em que se espalham manifestações de rua, exigindo do capitalismo selvagem apontar saídas humanísticas para a enorme crise econômica que se abate sobre os países mais avançados, a experiência do Cantagalo é uma importante referência prática de como se pode usar um ícone do capitalismo, a propriedade privada, como poderoso instrumento de inclusão social.

depoimentos

A COMUNIDADE

Luiz Bezerra do Nascimento, principal líder e apoiador do projeto, presidente da Associação de Moradores do Cantagalo

— **Qual é a importância do título de propriedade para o senhor?**
— O título de propriedade foi o começo de tudo, porque a gente sem o título não tinha nada. A gente tinha uma casa, mas que não era da gente, legal, porque a gente não tinha o terreno, a gente não tinha uma firmeza de que você era dono daquilo, então, sempre o governo tava mandando na gente... Agora não, a gente, com o título de propriedade, sente firmeza porque a gente sabe que aquela casa é da gente, que a gente tem o título da propriedade. Nós somos donos da propriedade. Aquilo é o começo pra tudo.
— **O senhor já recebeu o título de propriedade?**
— Eu ainda não recebi, ainda não chegou a minha vez, mas algumas pessoas já receberam e realmente elas estão satisfeitas, elas estão muito mais seguras.

— O que o senhor vai fazer com o título de propriedade?

— Vai ser uma coisa que eu vou guardar com muito carinho, porque é uma propriedade que eu vou ter, que eu vou deixar pros meus filhos, pros meus netos. Vou pagar aqueles impostos que nós temos que pagar, tudo direitinho, e poder guardar em um local bem seguro, que é para poder deixar uma herança para os filhos.

— Houve uma valorização dos imóveis?

— Houve uma valorização do imóvel, e a gente já sabe que com a entrada também da segurança da UPP, porque não foi só o título de propriedade. O título de propriedade foi o principal, mas também vem junto a segurança, isso mudou o caráter da comunidade. Realmente está triplicando o valor dos imóveis na comunidade.

— Como o senhor acha que a comunidade se sente agora com a titulação?

— A gente se sente bem mais seguro, a gente sabe que a gente não pode ser removida dali, a não ser que seja pra passar uma rua, alguma coisa assim nesse sentido. Mas sem sentido nenhum, a gente não vai ser removido dali nunca mais.

Cláudio Napoleão, líder comunitário, editor do jornal *Canto do Galo*

— **Qual é a importância do título de propriedade para o senhor?**

— É o reconhecimento da cidadania dos moradores do Cantagalo.

— O senhor já recebeu o título de propriedade?
— Não.
— O que o senhor vai fazer com o título de propriedade?
— Quando receber, guardarei com muito cuidado. Pois ele é o resultado de anos e anos de luta.
— O que mudou na comunidade com a titulação?
— É perceptiva a grande mudança que a titulação já tem causado ao Cantagalo. Os moradores estão investindo na melhoria de suas casas.
— Como o senhor acha que a comunidade se sente agora com o título de propriedade?
— Segura em relação ao fantasma da remoção.

João da Silva Cunha, portador do título de propriedade

— Qual é a importância do título de propriedade para o senhor?
— Organizou os documentos certinhos, tudo no meu nome. Antigamente, a venda era feita sem documentação. Agora a gente está se sentindo mais valorizado.
— O que o senhor vai fazer com o título de propriedade?
— Agora só tem eu e a minha esposa... A gente tá pensando em vender a parte de cima e morar na parte de baixo. A gente quer aproveitar a valorização dos imóveis.
— Como o senhor acha que a comunidade se sente agora com a titulação?
— A comunidade está mais feliz agora porque eles são os donos da terra. A gente está mais tranquilo agora.

Paulo Cezar (Paulinho) da Silva Santos, vice-presidente da Associação de Moradores do Cantagalo

— **Qual é a importância do título de propriedade para o senhor?**

— A pessoa que teve o título nas mãos agora tá podendo respirar, porque antigamente não podia fazer isso, eles não tinham o poder na mão, agora sim, com o título, aí tem o poder, o poderio. Porque, antigamente, a gente não sabia, qualquer um chegava e falava "você vai fazer isso, vai fazer aquilo", a pessoa não sabia o que ia fazer. Agora não, se chegar e falar "você vai fazer", agora não, "depende", porque agora eu tenho isto aqui, esse papelzinho aqui, que manda muito, manda muito na minha vida agora.

— **O senhor já recebeu o título de propriedade?**

— O de propriedade ainda não, só o territorial.

— **Houve uma valorização dos imóveis?**

— Você vê que valorizou tanto, mas tanto, que tá todo mundo querendo subir o morro agora. Todo mundo querendo ir pra comunidade agora. Mudou demais...

— **O que o senhor vai fazer com o título de propriedade?**

— Eu lutei tanto na minha vida por esse título que depois que eu pegar ele, eu vou enfiar ele no bolso, eu vou andar com ele pra todo lado que eu for, eu vou estar com ele no bolso. Ninguém me tira ele. Vou passar para os meus futuros, minha esposa, meus filhos...

Ivan Cerqueira Nascimento, líder comunitário e personagem do prólogo deste livro

É mais um documento que nós teremos na nossa mão para uso de qualquer coisa no futuro. É um documento que vai valer na sociedade. Antes a gente se sentia indefeso, agora eu tenho a lei do meu lado. É como você não dever nada para a autoridade e poder andar de cabeça erguida. É o começo da sua sobrevivência que você lutou para vencer e venceu. Uma conquista que nós lutamos muitos anos para conseguir. Nós estamos entre Ipanema e Copacabana, então é como o Novo Leblon, aqui vai ser a Nova Ipanema. Eu ainda não recebi o título, mas quando eu receber eu vou agradecer a Deus, em primeiro lugar, e estarei muito satisfeito de ter conseguido mais uma grande vitória.

os especialistas

UM PROJETO DE CIDADANIA

Lucia Hippolito, cientista política,
jornalista âncora da CBN-Rio

O Projeto Cantagalo é, sobretudo, um projeto de cidadania, quando se propõe a regularizar as terras na região. Ajuda a organizar e a mobilizar a comunidade. Mas para transformar essas comunidades em bairro, acabando com a ideia de cidade partida, ainda falta muita coisa. É um primeiro passo, sem dúvida, e muito importante. Outras conquistas da civilização vão chegar, gradativamente, dentro de um projeto urbanístico adequado e próprio ao local. A implementação do Projeto Cantagalo significará também mudanças de comportamentos e valores, na medida em que as pessoas vão conquistando espaços da cidadania. É um processo antropológico e avanços importantes serão contabilizados. Talvez uma das coisas mais interessantes dessa caminhada seja a integração com os bairros da periferia, particularmente Ipanema e Copacabana, e a eliminação do estigma dos que vivem nos morros. O sentimento de insegurança e de falta de proteção que eles sentem hoje, seja por causa de políticas públicas precárias, seja pela ação do narcotráfico ou milicianos, acaba com o título de propriedade nas mãos; eles passam a ser donos de seus próprios passos e a se sentir cidadãos. É claro que isso implica também direitos e deveres, uma mudança cultural. Mas a vida no mundo legal é mais proveitosa.

TER O DESTINO NAS PRÓPRIAS MÃOS

Josef Barat, economista, presidente do Conselho das Cidades, Fecomercio-SP

— O que o Projeto Cantagalo representa como fator de organização e mobilização das comunidades em direção à cidadania?
— Políticas ou programas bem estruturados de regularização fundiária devem englobar dois objetivos principais: (a) o reconhecimento de alguma forma de segurança da posse do imóvel para os ocupantes de áreas carentes, e (b) a integração socioespacial dessas comunidades no contexto mais amplo da estrutura urbana, promovendo a maior inclusão na sociedade como um todo. Nesse sentido, o Projeto Cantagalo representou um grande avanço na consecução desses objetivos, na medida em que propiciou efetivamente a posse dos imóveis e a maior integração da comunidade do Cantagalo à vida econômica e social da metrópole carioca.

— A regularização fundiária dos terrenos nas favelas era o que estava faltando para avançar no processo de transformar as comunidades gradativamente em bairros?
— O economista peruano De Soto propõe que assentamentos e atividades das comunidades carentes não sejam vistos

como problema, mas sim como o desafio de explicitar um "capital morto", de valor inestimável, o qual deve ser devidamente transformado em "capital líquido". Esse pode vir a reativar significativamente a economia urbana e a combater a pobreza, garantindo maior inclusão social. A regularização fundiária garante maior acesso ao crédito e incentiva os moradores das comunidades carentes a investirem nos seus negócios e nas suas moradias. Os moradores passam a se sentir seguros da sua posse a partir da regularização das suas formas precárias de ocupação. Ou seja, trata-se de legalizar o ilegal, por meio da outorga de títulos de propriedade individual plena.

— **O Projeto Cantagalo implicará mudança de comportamento e valores na comunidade?**

— Sem dúvida, a outorga de títulos de propriedade individual plena altera radicalmente o comportamento e os valores da comunidade, uma vez que a transformação do "capital morto" em "capital líquido", ao assegurar inclusão na sociedade, amplia a condição de cidadania. O acesso ao emprego, ao crédito, às transações comerciais e às atividades empreendedoras fica fortemente facilitado pela disponibilidade de um patrimônio devidamente legalizado.

— **O Projeto Cantagalo facilita o relacionamento entre comunidade e bairros da periferia?**

— É clássico o estudo da socióloga norte-americana Janice Perlman que mostrava, já nos anos 1970, que as comunidades carentes não viviam em um compartimento estanque em relação à economia urbana. A integração econômica, em termos de prestação de serviços e empregabilidade, era bastante forte. No entanto, não se pode deixar de considerar que a precariedade das moradias e a insegurança pela ausência de título de propriedade individual plena afetaram muito o potencial das relações econômicas e de inclusão social mais profunda com o seu entorno. O Projeto Cantagalo, nesse sentido, é um poderoso instrumento de integração da comunidade com os bairros vizinhos.

— **O que significa para o pessoal da comunidade o título de propriedade de seu terreno, já que sempre viveram em insegurança e sem proteção, chantageados pelo poder público ou pelo tráfico?**

— Significa, como disse antes, a possibilidade do exercício mais pleno da cidadania. É inestimável a segurança que o morador passa a ter quando é detentor de um patrimônio próprio, por meio de um título de propriedade individual plena. Com isso ele supera uma condição de precariedade e incertezas quanto ao futuro e passa a ter em mãos o seu próprio destino, sem necessidade de proteções ou chantagens.

PROJETO CANTAGALO: COMEÇO DO FIM DA CIDADE PARTIDA

José Luiz Alqueres, presidente da Light S.A.

O Projeto Cantagalo é um marco dentre os esforços empreendidos por entidades públicas e do terceiro setor, visando à eliminação da chamada "cidade partida" em que o Rio de Janeiro se tornou.

Avaliando a situação de fato de uma comunidade estabelecida há décadas e sempre convivendo com a marca indelével da marginalidade — eis que a própria casa não era reconhecida como um espaço seguro e, por extensão, toda a existência —, vizinhos ipanemenses congregaram esforços para achar uma solução abordando o problema nas suas dimensões sociais, históricas, arquitetônicas, urbanísticas, de provisão de serviços públicos, enfim todo o desafio de absorver na malha urbana o que era antes visto como um "cancro a extirpar".

Essa habitação precária, representativa, na maioria das vezes, de poupanças de uma vida, constituía-se numa forma de acumulação de capital e, como tal, passível de ser mobilizada do ponto de vista econômico — como contragarantia, ou ainda, financeiro, proporcionando liquidez — caso viesse a ter a sua existência legal, a sua titularidade, reconhecida. Esse processo de transformar "numa penada" o excluído em incluído foi conseguido graças ao trabalho de líderes do Projeto Cantagalo, que eu destaco: Paulo Rabello de Castro, Ignez Barretto, Ana Luiza Archer, entre tantos outros que, persistentemente, forçaram a área pública a pensar de forma diferente. Com competência e sensibilidade, o governador Sérgio Cabral e o seu vice, Luiz Fernando Pezão, imprimiram uma nova dinâmica na atuação dos órgãos públicos e viabilizaram o projeto.

Registro que concessionárias de serviços públicos, como a Light, foram essenciais e pioneiras nesse tratamento — como um consumidor qualquer — dos moradores dessas antigas favelas. Recuperando redes, eliminando ligações clandestinas, cadastrando imóveis, mapeando e preparando a entrada da comunidade na rede formal, elas quebraram a barreira e integraram a cidade, no que foram seguidas por grandes obras de infraestrutura e serviços sociais.

O mais importante é termos uma comunidade inteira hoje em processo de eliminação de barreiras históricas. O tempo doravante será um aliado, e não mais um inimigo, no progresso dessa absorção. É o fim da cidade dividida, numa experiência passível de ser reproduzida em todo o Rio de Janeiro.

EM BUSCA DE LUZ

João Alberto Manaus, engenheiro, especialista em processos de regularização, presidente da Herjacktech Engenharia

Quando apresentado ao trabalho de regularização do Projeto Cantagalo, na Fecomercio-SP, fiquei surpreso ao conhecer uma iniciativa que se atreveu a questionar e, principalmente, propor soluções implantáveis, envolvendo aspectos não só jurídicos, mas também políticos e sociais, tudo com muita criatividade e — posso avaliar — com grande persistência.

Não houve como não enxergar aí uma réstia de luz ou chama, que deveria ser considerada como uma possibilidade concreta para ser aplicada e lidar com as "caixas-pretas" das favelas de São Paulo no tocante à regularização como titulação definitiva.

O universo de favelas de São Paulo merece, quanto antes, uma consideração séria sobre a aplicabilidade da experiência concreta do Cantagalo, com as adaptações que certamente serão requeridas.

Só considerar que temos um caminho traçado com sucesso, alegra, instiga e motiva qualquer mortal que conviveu, e convive, com inúmeros problemas gerados por invasões, ocupações de risco e déficits de acesso, com qualidade, aos serviços públicos e à cidadania.

Não há como negar que muito se tem evoluído na abordagem desses temas no nosso estado de São Paulo, mas a frustração da titulação incompleta sempre foi o calcanhar de aquiles das iniciativas nesse difícil campo, que quase sempre tinham como meta final — frustrada — exatamente a titulação.

O atual esforço de grande envergadura em São Paulo na direção da regularização fundiária em escala nos dá a dimensão do interesse e da necessidade de conhecer metodologias novas que possam ser aplicadas no tema das favelas e invasões.

Os envolvidos nesse trabalho do Cantagalo, no Rio de Janeiro, bem como os cidadãos da favela, amanhã cidade, estão de parabéns e merecem comemorar.

O poder público, estadual e municipal também, nesse assunto, deve comemorar qualquer vitória que, por ser penosa e suada, será sempre muito mais gratificante para os gestores e profissionais envolvidos.

os apoiadores

AUTOESTIMA É IMENSURÁVEL

Eduardo Paes, prefeito da cidade do
Rio de Janeiro

Para qualquer cidadão, a casa representa segurança e acolhimento. É o lugar para onde, depois de um dia de trabalho e luta, você volta e encontra paz e tranquilidade. Ter um lar, assim como possuir um documento de identidade, é ter o mínimo de dignidade e cidadania. Daí a importância vital do título de propriedade. E esse é um dos motivos pelos quais temos intensificado o processo de regularização fundiária na Prefeitura do Rio. Já temos mais de 47 mil unidades e lotes localizados em comunidades carentes que estão em processo de regularização. Sem falar no *habite-se*: até o final do ano, a Prefeitura terá concedido o documento a mais de 5 mil famílias. E isso só tem sido possível porque mexemos na burocracia para facilitar a regularização dos imóveis.

O resultado na autoestima da população da favela é imensurável. Ter o reconhecimento do poder público de que aquele terreno é seu, de que aquela casa é sua, com um documento oficial atestando o seu direito, é como um passaporte para o mundo formal. A partir desse momento, pode-se deixar herança para os filhos e netos, usar o imóvel como garantia, comprovar residência, possuir um bem de valor no mercado.

E, por isso, uma iniciativa como o Projeto Cantagalo é tão significativa, capaz de mudar a realidade de nosso povo e de nossa cidade. É um projeto que aponta para o futuro, no qual sociedade e poder público se unem para melhorar a vida da população de baixa renda e integrá-la à sociedade. É tornar esse indivíduo um fiscal comprometido com a manutenção da ordem no entorno de sua propriedade. É fazer a ponte da favela para o bairro, da comunidade e de cada indivíduo para o mundo dos direitos e dos benefícios, mas também dos deveres, da lei, da formalidade. Uma vez proprietário, ele se torna também cidadão pleno.

AÇÃO SOLIDÁRIA

Valter Caldana, arquiteto, professor, curador da NonaBia — IX Bienal Internacional de Arquitetura de São Paulo

— O que o Projeto Cantagalo representa como fator de organização e mobilização das comunidades em direção à cidadania?
— Acompanho o problema da regularização fundiária no Brasil já há algum tempo. Desde o primeiro momento em que tomei contato com o Projeto Cantagalo, chamaram a

atenção dois fatores que, certamente, em muito influíram para seu desenvolvimento e seu sucesso: o arco de interesses abrangido pelo projeto e a amplitude dos agentes envolvidos. Sou daqueles que não acreditam em ações isoladas ou voluntariosas. Creio que apenas a ação coletiva e solidária rende frutos duradouros.

— A regularização fundiária dos terrenos nas favelas era o que estava faltando para avançar no processo de transformar as comunidades gradativamente em bairros?

— A regularização fundiária não é o único fator que possibilita a transformação de comunidades ou que viabiliza os processos de desfavelização ou de inclusão urbana. Ela deve ser necessariamente acompanhada de um projeto de desenho urbano com forte ênfase na qualidade dos espaços públicos e coletivos. São duas faces de uma mesma moeda. No entanto, se não é uma ação suficiente, certamente é das mais necessárias. Sem um processo consistente e juridicamente seguro de regularização, nenhuma ação terá a perenidade ou a profundidade desejada. No caso do Projeto Cantagalo, os avanços nesse campo são exemplares para todo o Brasil.

— O Projeto Cantagalo implicará mudança de comportamento e valores na comunidade?

— Indiscutivelmente. Como disse anteriormente, a segurança jurídica é primordial para que o cidadão se sinta incluído, contemplado e pertencente ao grande conjunto que é a sociedade. Tão importante quanto o direito de ir e vir é o direito de ficar. Ficar no seu canto, no que é seu.

— O Projeto Cantagalo facilita o relacionamento entre comunidade e bairros da periferia?

— Sem dúvida alguma.

— O que significa para o pessoal da comunidade o título de propriedade de seu terreno, já que sempre viveram em insegurança e sem proteção, chantageados pelo poder público ou pelo tráfico?

— Significa, acima de tudo, estabilidade. O sentimento de pertencimento, a segurança jurídica, a cidadania, enfim, são fontes de força, de coragem e de capacidade de reação, superação e desenvolvimento.

MUDANÇA DE PARADIGMA

André Trigueiro, jornalista, apresentador do programa *Cidades e Soluções*, da GloboNews

— O que o Projeto Cantagalo representa como fator de organização e mobilização das comunidades em direção à cidadania?

— Não há cidadania sem habitação regularizada nos termos da lei, com registro em cartório. O Projeto Cantagalo promove inovação em favor da justiça social, da celeridade com que esse gênero de processo deveria inspirar os dirigentes políticos. A mobilização voluntária, unindo líderes do morro e do asfalto, abre caminho para a paz e para segurança jurídica de quem ocupa um imóvel, mas permanece invisível aos olhos do Estado.

— A regularização fundiária dos terrenos nas favelas era o que estava faltando para avançar no processo de transformar as comunidades gradativamente em bairros?

— É um passo fundamental, na medida em que os moradores se sentem quites com a lei, têm a sua cidadania respeitada e um patrimônio reconhecido.

— O Projeto Cantagalo implicará mudança de comportamento e valores na comunidade?

— Muda-se o paradigma. À luz da lei não há espaço para improvisos ou jeitinhos. Vale o que está escrito, e isso não é pouca coisa. Aumenta a autoestima dos moradores, a valorização dos imóveis e o status da comunidade. Valores tangíveis e intangíveis.

— O Projeto Cantagalo facilita o relacionamento entre comunidade e bairros da periferia?

— Pelas entrevistas que fiz no local com líderes comunitários do Cantagalo e de Ipanema, percebi que o projeto serviu para aproximar quem não se conhecia e promover a diluição do preconceito e das diferenças. É um dos principais resultados do projeto. Profissionais liberais se habilitaram a ajudar vizinhos em situação econômica menos favorável, embora, no meu entender, a contrapartida seja muito mais interessante, ou seja, experiência de vida e resistência da comunidade do Cantagalo. É uma troca muito rica e intensa de experiências. O Projeto Cantagalo revela como é possível quebrar o muro que ainda separa o morro e o asfalto no Rio. E como todos saem ganhando com isso.

— O que significa para o pessoal da comunidade o título de propriedade de seu terreno, já que sempre viveram em insegurança e sem proteção, chantageados pelo poder público ou pelo tráfico?

— Resgate da cidadania, do respeito e da dignidade.

UM PROJETO PARA MUDAR O PAÍS

Jorge Gerdau Johannpeter, empresário, empreendedor social

Quando Paulo Rabello de Castro me procurou para que estudássemos uma maneira de formalizar a propriedade dos moradores do Cantagalo, imediatamente aderi à ideia. Por meio da participação em duas conferências realizadas em Porto Alegre, tive a oportunidade de ouvir o economista peruano Hernando de Soto, que levantava essa hipótese através de estudos com esse foco. O mais importante para as pessoas que estão vivendo de maneira informal é legalizar suas propriedades, porque é somente através desse processo que conseguiremos disseminar a ideia de plena cidadania. Seja para tomar empréstimo, vender, instalar, investir ou ainda para dar segurança a ele e sua família, esse morador passa a exercer seu papel de cidadão, com deveres e responsabilidades sobre seu patrimônio. Logo, acredito que esse é um excelente projeto social que pode ajudar a mudar o futuro de nosso país. Sou um entusiasta dessa ideia. Estou muito feliz de ter participado desse projeto, porque acredito no conceito da legalização da propriedade como forma de desenvolvimento de nossa sociedade.

MATERIALIZAÇÃO DE UM GRANDE SONHO

José Antônio Teixeira Marcondes, advogado, oficial titular do 5º Ofício de Registro de Imóveis

— O que o Projeto Cantagalo representa como fator de organização e mobilização das comunidades em direção à cidadania?

— Após a Lei Federal nº 11.977/2009, que instituiu o Programa Minha Casa, Minha Vida, necessário se fez viabilizar projetos sociais de suma importância para o cidadão. E, assim pensando, o estado, em parceria com a Associação dos Notários e Registradores/RJ e apoio dos cartórios notariais e registrais da capital, buscou tornar real a regularização fundiária através dos assentamentos como forma de uma melhor qualidade de vida viabilizando os anseios da população. Nesse compasso surgiu o Projeto Cantagalo, modelo pioneiro, que reconhecidamente tornou e tornará possível o desenvolvimento social satisfatório para moradores da área à procura da legalização de seus imóveis para a segurança de suas famílias.

— A regularização fundiária dos terrenos nas favelas era o que estava faltando para avançar no processo de transformar as comunidades gradativamente em bairros?

— É importante iniciar. Certamente para os moradores, com parcos recursos, a regularidade é sinal de avanço. Ela produz resultado. Na forma da lei, ela cria mecanismos de incentivo à requalificação dos imóveis urbanos, legitimação de posse, visando a implementar e criar condições para intensificar e humanizar a área. Nesse diapasão, a legalização fundiária criou parâmetros de priorização, além de critérios para promover todos os atos necessários para o devido assentamento, inclusive atos de registro, para a garantia real dos beneficiários. Dessa forma é fatal a transformação e revitalização da área, dignificando o crescimento sustentável dos moradores, gerando melhoria estrutural e, sobretudo, confiança da população pelo respeito aos seus direitos.

— O Projeto Cantagalo implicará mudança de comportamento e valores na comunidade?

— Certamente, a confiança na segurança advinda do projeto com a resolução de conflitos, levantamento topográfico detalhado de organização para a área, legitimação de projetos sociais, abrirá um canal para crescimento e investimentos, trazendo, enfim, integração e desenvolvimento voltados para recuperação e revitalização com vista à urbanização da comunidade local.

— O Projeto Cantagalo facilita o relacionamento entre comunidade e bairros da periferia?

— Quanto ao relacionamento, é assaz interessante frisar que os moradores buscam realizar seus anseios sociais, educacionais, religiosos, esportivos, acesso aos meios de comunicação, transportes, inclusão digital, com vistas ao alcance de maior tranquilidade, com investimentos locais, como comércio, gerando condições de empregos e lazer, resultando numa melhoria na própria comunidade.

— O que significa para o pessoal da comunidade o título de propriedade de seu terreno, já que sempre tiveram em insegurança e sem proteção, chantageados pelo poder público ou pelo tráfico?

— No que concerne ao título de propriedade, digamos que para qualquer indivíduo é a materialização de um grande sonho: a titulação para a sua moradia. O que era visto como impossível de ser conquistado até então, com a nova estratégia habitacional, pode ser realizado, dando finalmente ao cidadão o que lhe é garantido pela Carta Magna, por meio do direito de propriedade. Ao final, com o aceite do Título de Propriedade Definitivo pelos moradores, fomentou-se a justa ânsia dos assentados, pela ação das reformas estruturais da área, ante suas necessidades e práticas naturais, a fim de que se possibilite o verdadeiro estado de direito à moradia, com regras básicas de garantia no pleno exercício da propriedade e da cidadania.

REGULARIZAÇÃO DA MORADIA É PRIORIDADE POLÍTICA

Aspásia Camargo, cientista política, ambientalista e professora universitária, deputada estadual (PV) no Rio de Janeiro

A expansão descontrolada da cidade informal é um fenômeno antigo e chegou a pontos culminantes no Rio de Janeiro, foco de atração de migrantes vindos do interior e de outros estados. Essa mão de obra, que foi grande promotora de nosso desenvolvimento, antigo e recente, jamais encontrou lugar adequado de moradia porque faltaram políticas habitacionais apropriadas. Os fundos federais de financiamento, como o FGTS, jamais foram canalizados para os que deles mais precisavam, especialmente a população na faixa de até três salários mínimos. Em outras palavras, o poder público tem sido, nesse particular, completamente omisso. São as prefeituras que vêm pagando o preço político desse enorme e desumano vazio institucional.

O Rio de Janeiro tem suas particularidades. A topografia da Cidade Maravilhosa, marcada por forte e generalizada presença de morros, funcionou como uma espécie de reserva de espaço para abrigar as populações carentes e desprotegidas e — o que não deixa de ser original — de forma democrática, pois o "mercado de moradias informais" se estende por quase todos os bairros da cidade. Cada bairro formal tem, pelo menos, uma ou duas favelas.

Tal situação configura o Rio de Janeiro como uma cidade socialmente aberta, pois as favelas não estão isoladas em guetos longínquos, como é o caso da maioria das outras cidades, mas em áreas de convivência comum com populações de alta e média renda. O resultado é que os 20% da população moradora em favelas têm uma onipresença muito mais marcante do que a realidade dos números indica. E é essa presença, política e cultural, que configura o *modo de ser carioca* e fascina moradores e visitantes, sempre atraídos pela liturgia e pelos mistérios da cidade informal. O ponto culminante desse processo tem sido a efervescência sociocultural da cidade inteira, tão bem ilustrada por programas de recuperação como o AfroReggae.

Se quisermos caminhar em direção a um Rio sustentável, capaz de promover seu desenvolvimento com inclusão social e respeito ao meio ambiente e à qualidade de vida, é preciso ver como prioridade uma intervenção urbanística inteligente e abrangente nas comunidades cujo crescimento acelerado — aliás, mais acelerado do que o da cidade legal — tem acontecido segundo regras paralelas às que prevalecem na cidade formal. Essa duplicidade de regras dificulta a integração, criando uma situação de incomunicabilidade que só aprofunda o fosso entre as duas cidades, contribuindo para perpetuar o que Zuenir Ventura denunciou, há anos, como a "cidade partida".

No entanto, essa "cidade partida" é muito mais fruto de políticas discriminatórias, omissões e equívocos persistentes do que o desejo assumido da própria cidade e da maioria de sua população. Nos últimos anos, o Rio de Janeiro deu inúmeros exemplos espontâneos de sua sensibilidade social na convivência e no apreço pelas comunidades em favelas, com as quais a cidade formal convive, às vezes de porta a porta. A natureza e profundidade dos vínculos culturais existentes entre essas duas partes da mesma cidade demonstram, ao contrário do que muitos imaginam, ser fruto de enraizada interação, seja na música popular, nas artes plásticas, na dança, no esporte e em múltiplos serviços prestados uma à outra.

O desafio é, portanto, identificar o caminho mais seguro e rápido de promoção do bem-estar coletivo e de integração entre as duas cidades, de tal forma que, em futuro próximo, possamos partilhar uma só cidade, desenvolvendo identidade e objetivos comuns. Enquanto houver tamanha diferença no acesso aos serviços básicos e tamanha precariedade de infraestrutura e condições de moradia e acesso nas comunidades, estaremos alimentando a fragmentação, a desconfiança e a fratura das identidades coletivas.

As "favelas" estão cheias de problemas, mas desejo afirmar que o ponto prioritário em sua agenda de desenvolvimento sustentável é a regularização das moradias. E por que a regularização, em meio a tantas carências e necessidades? Porque, ouso dizer, esse é o calcanhar de aquiles da transformação, o principal e, talvez, único item da agenda política e administrativa que poderá provocar um novo ciclo virtuoso de mudanças urbanas, tendo como personagem principal esse novo cidadão das comunidades, "empoderado" por um título de propriedade que é só seu, e que ganha, assim, autonomia para decidir sobre seu próprio destino.

A regularização, de fato, é o instrumento por meio do qual se poderão vencer obstáculos à melhoria da infraestrutura e de serviços sociais, bem como estimular investimentos locais sem ônus para o governo, valorizando a poupança popular e dando aos futuros proprietários inúmeras opções de investimento com ganhos futuros. É exatamente aí que reside o enorme potencial de empreendedorismo, muito pouco aproveitado em qualquer comunidade do Rio, levando em conta o alto grau de motivação dos migrantes e cariocas natos ali instalados, a fim de melhorar suas condições de vida, como o caminho de esperança para suas famílias, seus filhos e netos.

Se o pacto pelo desenvolvimento sustentável é um compromisso com as gerações futuras, então é possível afirmar, sem medo de errar, que a regularização e titulação das moradias em comunidades do Rio é o grande pacto sustentável com o futuro.

o projeto

PROJETO CANTAGALO
TECNOLOGIA SOCIAL PARA TITULAÇÃO FUNDIÁRIA*

O **Projeto Cantagalo, iniciado em 2008 pelo Instituto Atlântico**, em seguida incorporando vários importantes parceiros, tem como base o desenvolvimento de uma "tecnologia social" de mobilização e organização de uma comunidade, a fim de capacitá-la a executar todos os passos até a obtenção do título definitivo da propriedade dos imóveis lá existentes, com inscrição e matrículas individualizadas por unidade imobiliária, no RGI local, em benefício direto de todos os moradores que se enquadrem nas condições de elegibilidade do instrumento legal de regularização e titulação escolhido e que não estejam, obviamente, em situação de risco ambiental ou geológico ou configurem um caso de invasão recente. Indiretamente, a obtenção da propriedade plena também valoriza e organiza urbanisticamente

---

* Elaboração de Roberto Carvalho, vice-presidente do Instituto Atlântico, e do arquiteto Manuel Fiaschi. Agradecimentos também ao empenho dos arquitetos Júlio Sartori e Anthony Ling.

todo o entorno da comunidade, integrando a cidade informal à cidade formal.

Para elaborar esse projeto, o Instituto Atlântico estudou profundamente o histórico da comunidade do Cantagalo, seus valores e comportamentos coletivos. A favela não tem, para seus habitantes, o sentido negativo que carrega para os cidadãos do "asfalto". Favela é uma realidade habitacional provocada por uma avalanche migratória em um certo período histórico, conjugada à insuficiência de planejamento urbano para lidar com o fenômeno. No Rio, em especial, o equívoco fundamental do programa Favela-Bairro e de outros tantos que tentaram equacionar a questão da favelização tem sido encarar a favela como algo que deve ser, simplesmente, "arrumado", ou seja, mantendo aquele espaço como zona excluída da cidade formal. O Projeto Cantagalo, pelo contrário, elabora sua conceituação centralmente na possibilidade da integração formal.

A nova tecnologia social da titulação da propriedade em favelas

Para começar por onde ninguém ousara iniciar antes — a titulação da propriedade na favela —, o Instituto Atlântico desenvolveu o que podemos chamar de "tecnologia social": um conjunto de técnicas de intervenção comunitária cujo ponto de apoio central é o *princípio da auto-organização*. A população do Cantagalo foi mobilizada para que opinasse sobre a oportunidade da iniciativa. As vantagens, os custos, as consequências e os riscos do projeto foram exaustivamente debatidos na comunidade. Uma assembleia geral da Associação de Moradores deliberou a aprovação do projeto, a constituição dos advogados e a representação política junto ao Governo do Estado e à Prefeitura.

Os trabalhos de campo se desenvolveram em duas direções simultâneas: o cadastramento geral dos moradores e a topografia detalhada do "loteamento" informal existente no Cantagalo. A topografia local da comunidade e o levantamento preciso de cada unidade habitacional, uma a uma, *in loco*, foram simultaneamente realizados. Esses trabalhos iniciais duraram cerca de cinco meses no ano de 2008.

A principal contribuição do projeto é mostrar, da teoria à prática, que a concessão de títulos de propriedade nas comunidades carentes é a forma mais efetiva de integrar a cidade do ponto de vista legal, unindo os cidadãos do asfalto aos das favelas. Mas para isso pressupõe-se que a favela vá se tornando bairro. A favela não perde características comunitárias ou culturais que lhe são típicas; porém, seus cidadãos são alçados à cidadania plena através da titulação de suas propriedades.

Opera-se uma mudança, por assim dizer, "ideológica" e de atitudes nas pessoas envolvidas, inclusive nos moradores do asfalto, pois o direito à propriedade é, desde tempos imemoriais, o que mais associa o homem ao sentimento de "pertencer", de vincular-se ao lugar que, não só de fato, mas de direito, passa a ser seu. O passo seguinte é a urbanização da comunidade, numa definição ampla de serviços públicos e privados de apoio ao morador e à moradia. No caso do Projeto Cantagalo, isso aconteceu, por pura coincidência, com a chegada das obras federais do PAC I, também em 2008, e ainda não concluídas. Em seguida, o Governo do Estado também deu um grande passo com a implantação de uma

Unidade de Polícia Pacificadora (UPP), que ocupou a comunidade, afastando o tráfico armado e violento. Espera-se agora a implantação do Posto de Orientação Urbanística e Social (Pouso), a ser instalado pela Prefeitura na futura sede da Associação de Moradores, projetada pelo arquiteto Flávio Ferreira. O novo prédio, de concepção ambiental e urbanisticamente adequada ao local, representará o coroamento do processo de integração da comunidade à cidade formal, materializando o sonho coletivo de acesso dos moradores do Cantagalo a um estágio superior de organização social e política. O novo prédio da Associação é mais do que um local de informação pública e convívio. É, principalmente, um símbolo da nova governança local, representando a legitimação política da nova ordem social no Cantagalo, trazida pela titulação dos seus imóveis.

Dessa forma, o Projeto Cantagalo busca ressaltar que a regularização fundiária, via titulação plena da propriedade, acarreta uma injeção de novos valores de comportamento social na comunidade. Enfim, uma iniciativa inovadora transforma os moradores da comunidade do Cantagalo em cidadãos plenos, oferecendo uma solução sustentável de convívio com a cidade formal. Esse efeito transformador se despeja, morro abaixo, como uma chuva refrescante sobre as atribulações do asfalto, melhorando a autoestima da cidade formal como um todo.

Planta geral do Cantagalo e suas localidades

Arquiteto Márcio Roberto, para o Instituto Atlântico e a Associação de Moradores, 2008. [Ver encarte.]

A titulação plena da propriedade como direito social básico

A Constituição Federal prevê o acesso à propriedade privada (art. 5, caput e XXII, e art. 170, II) e à moradia digna (art. 6º) como direitos fundamentais, estabelecendo como objetivos fundamentais da República Federativa do Brasil a constituição de uma sociedade livre, justa e solidária, que erradique a pobreza e a marginalização, reduzindo as desigualdades sociais e regionais (art. 3º).

No âmbito estadual, o time liderado pelo governador Sérgio Cabral e por seu vice, Luiz Fernando Pezão, que logo compreenderam o alcance da proposta do Instituto Atlântico, empreendeu os esforços necessários à sua aprovação. Era preciso fazer uma mudança na Constituição estadual e esses governantes a implantaram com a aprovação da Emenda Constitucional nº 42/09, em tempo recorde, e a promulgação da Lei Complementar nº 131/09, abrindo caminho para a transferência da propriedade plena, no âmbito do processo de regularização fundiária de interesse social, por meio de doação de bens públicos para a população que os utiliza como moradia.

Exemplo de uma planta baixa gerada a partir da topografia geral* [Ver encarte]

---

* Planta individualizada com identificação precisa do seu dono, sua localização, seus confrontantes na comunidade e medidas externas, fornecida a cada um dos 1.485 futuros proprietários.

A propriedade plena é como um antibiótico de amplo espectro contra a doença da exclusão

A propriedade imobiliária é a melhor resposta às angústias naturais de um favelado, cuja moradia sem direito constituído não admite defesa policial ou judicial contra a bandidagem ou a remoção pela própria administração pública. Essa insegurança se converte, em termos comportamentais, em instabilidade, em todos os aspectos da vida na comunidade, daí a maior propensão à violência, seja ela a violência doméstica, especialmente contra mulheres e crianças, seja a violência armada entre facções concorrentes ou contra a população em geral.

Some-se a isso que a outorga do título de propriedade plena sobre os bens que os moradores construíram ao longo de toda uma vida de trabalho, ou, o que é comum, do trabalho das gerações passadas, representa uma enorme injeção de capital na economia local advinda da valorização dos imóveis, sem necessidade de emissão de dívida ou elevação de gastos públicos. É também um potencial de elevação na receita da administração pública, com o aumento da arrecadação proveniente da legalização/valorização dos imóveis da comunidade e dos bairros no seu entorno.

Em maio de 2011, os primeiros 44 moradores da Comunidade do Cantagalo receberam a escritura de doação das mãos das autoridades estaduais e seu registro definitivo no RGI. Essa, sim, é uma experiência inédita na história social do país e o principal incentivo à integração da cidade. Em breve se espera estar concluída a titulação integral de todos os imóveis no Cantagalo. Em seguida, o resto que falta, no Rio de Janeiro e no Brasil inteiro.

Construção da sede da Associação da Comunidade do Cantagalo

O projeto da futura sede associativa tem precedentes na arquitetura vernácula da comunidade do Cantagalo, tais como a cobertura metálica no topo das suas edificações, deixando a última laje sempre na sombra e, assim, evitando as mudanças bruscas de temperaturas que geram rachaduras e, consequentemente, infiltrações de águas no andar inferior. [Ver encarte.]

Ao mesmo tempo, o projeto quer ser uma contribuição para o aperfeiçoamento da arquitetura local da favela. Propõe-se a reutilização das águas de chuva não só para economizar, mas principalmente para retê-la na hora da tormenta. Com isso, diminuem as enxurradas no seu momento mais intenso, ajudando a evitar erosões e deslizamentos. A água da chuva poderá ser aproveitada na lavagem dos pisos, nas descargas dos banheiros etc. Somente as torneiras das pias recebem água diretamente da Cedae. Propõe-se também o uso de paredes duplas para os cômodos semienterrados, de modo a evitar umidade e superfícies mofadas. Com suas cores pastel, a pintura externa dos prédios foge de dois entendimentos equivocados, fruto de alienações culturais: que a favela deve ser excessivamente colorida (e cômica); ou que a favela deve ser branca (e trágica), como as aldeias do Mediterrâneo. [Ver as sugestões construtivas no encarte.]

A estrutura da construção da sede é metálica, as paredes são de alvenaria, os pisos são de cerâmica e as esquadrias de alumínio. A fachada que dá para a vista magnífica do mar nos levou a tê-la toda de vidro. Entretanto, ela é orientada para o nascente, o que significa que receberá demasiadamente o sol da manhã até o meio-dia. Assim, foi necessário prever um quebra-sol (*brise-soleil*) móvel de alumínio. Os ambientes são todos de trabalho, com exceção da laje de cobertura (essa para convivência social). O telhado metálico torna o ambiente superior bem quente durante o dia. Esse espaço de cobertura servirá para grandes reuniões, festas ou, simplesmente, lugar de estar à noite.

Comunicação social: jornal *Canto do Galo*

Conceito
Produzir informações e opiniões diferenciadas, de qualidade e com credibilidade, sobre efetiva integração de uma comunidade, que tende a se tornar bairro.

Objetivo
Conscientizar o leitor da necessidade de unir esforços, ações e pensamentos para criação de uma agenda que integre a região, fortalecendo o conceito de cidadania. O *Canto do Galo*, por ser um veículo específico em seus propósitos, é uma referência na medida em que trabalha temas únicos e serve, eventualmente, de pauta para outras mídias.

Público-alvo
Moradores da comunidade do Cantagalo e seu entorno e dos bairros de Copacabana e Ipanema.

Linha editorial

Em linguagem jornalística e com foco em pontos positivos e negativos da região, a publicação tem uma pauta com conteúdo específico da comunidade e sua inter-relação com os habitantes da vizinhança. Assim temos, em tese, a política comunitária e de bairro, ações governamentais na área, serviços, entretenimento, esporte, cultura, meio ambiente e economia criativa.

Periodicidade mensal em formato tabloide
[Ver encarte.]

english abstract[*]

The objective of the Cantagalo Project is to provide full property rights to the dwellers of the Cantagalo *favela*, thereby improving their quality of life, reducing the local crime rate and helping foster local economic and social development all through a formal titling and regularization program. Instituto Atlântico's final goal is to empower and enable those individuals to take control of their capital assets and of their community rather than prescribing any out-of-the-pocket solution.

There are a number of legal tools available to achieve these property rights, each of which the Instituto Atlântico is uniquely equipped to utilize. This interdisciplinary coalition of lawyers, economists, architects, and local NGOs (Projeto de Segurança de Ipanema and Instituto Gerdau) was involved in the drafting and passage of Amendment N. 42 to the Rio de Janeiro State Constitution as well as Complementary Law 131, which together created yet another legal mechanism

---

[*] We are grateful to Anna Corina Klemmer for her contribution to this English abstract.

through which residents could obtain formal ownership: the donation of public land to an individual for residential use.

Instituto Atlântico has achieved unprecedented success in this regularization work and has done so at an extremely low cost. The Project has also enjoyed a very positive response from all levels of government; former President Luiz Inácio Lula da Silva himself praised the Project as an important element of his socioeconomic development agenda.

The problem the Cantagalo Project seeks to address cannot be overstated. The rapid urbanization of Latin America has led to a process called "favelização", i.e. the proliferation of massive informal settlements, or *favelas*, in and around urban areas. Today it is estimated that up to 1.5 million people are living in these settlements in Rio alone. The living conditions therein often lack basic public services are increasingly precarious, and violate the basic right to housing recognized by Brazilian domestic law, Constitutional law, as well as a number of international agreements.

Land titling is a centrally important first step in confronting these problems. It has been widely accepted that granting full formal legal title — besides offering resident the basic dignity and rights that come along with homeownership — stimulates local investment and development, develops a robust housing market by unlocking the hidden capital represented by informal dwellings, and gives residents access to credit markets that were previously unavailable to them.

The first step of this project was to conduct an extensive survey of the community identifying all existing residences, residents, their socioeconomic profile, and gathering copies of available documentation. Next a topographical assessment mapped the entire community for the first time. This initial phase enabled us to

establish a reliable register of all occupants eligible to obtain ownership;

organize the community's existing records at the local neighbourhood association;

introduce the Project to the community by employing residents as interviewers which had the added benefit of building trust and a strong relationship between our team and the community. This phase was completed for the whole of Cantagalo in November, 2008.

The second component involved selecting the appropriate legal instrument to achieve a transfer of title and then commencing either legal action or political negotiations with the relevant governmental authorities. It is our position that without this step — the transfer of full property rights to residents and the regularization of the property — all other public efforts and investments will be insufficient to achieve lasting change in the *favela*. We have succeeded in obtaining the first 44 titles through donation of public land from the state to individuals for residential use. Further, we have a collective adverse possession action pending against Cehab that could potentially bring an additional 200 titles.

The final phase involves educating and engaging the community regarding the potential of these legal instruments. The benefits of formal ownership and this Project cannot be fully materialized without a broad participation on the part of the community. We have begun this process by re-launching and circulating a local newspaper, *Canto do Galo*; holding regular meetings through the Cantagalo Residents Association, a partner of Instituto Atlântico, to explain the project; and opened a local support office in the favela.

To date, the Cantagalo Project has been financed by the Instituto Gerdau. It has also been supported by significant pro bono work by Brazilian law firms Souza, Cescon, Barrieu & Flesch Advogados, one of the Project's sponsors, and Gorayeg & Mitchell Advogados, as well as from the architecture studio of Mr. Flávio Ferreira, a professor of Architecture and Urban Settings.

The Cantagalo Project approach offers an unique and sustainable solution by enabling and empowering rather than prescribing and providing. Within these traditionally marginalized populations, we are helping people help themselves; we are giving a voice to those who have gone too long unheard and we can only continue succeeding in this effort with your help.

Este livro foi composto na tipologia Chaparral Pro,
em corpo 11,5/16, e impresso em papel off-white 80g/m^2
pelo Sistema Cameron da Distribuidora Record
de Serviços de Imprensa S.A.